❶1980年代、コンゴの森林地帯ではプランテーションが営まれ、トラックが往来していた。
❷そのころワンバ地域で人類学的調査を始めた若かりしころの木村。

❸しかし、紛争によって交通インフラは崩壊した。渡るのも困難なボロボロの橋がいたるところにある。
❹雨が降ると水があふれて川のようになる道もある。

❺そうした困難な状況の中、地域住民は過酷な「長距離徒歩交易」をおこなっている。
❻森の中の道を１週間ほどかけて歩き続け、町まで商品を売りに行く。

❼コンゴの森には固有種である類人猿ボノボが生息している。
❽ボノボの研究は1970年代から連綿と続けられてきた。ボノボを観察する徳山とトラッカー。

❾困難な生活を乗り越えるため、地域住民は商品生産にいそしんでいる。有力な商品のひとつ乾燥イモムシ。

❿もうひとつの有力商品・蒸留酒。ワンバ地域の酒は、とくに品質がいいと町でも評判になっている。

⓫商品生産の重要な担い手は地域の住民組織。住民組織のメンバーが集まって話し合う。
⓬村の商品を町まで船で運ぶ「水上輸送プロジェクト」。村から商品がつぎつぎに運び込まれる。

⑬いよいよ長い船旅が始まった。途中の川岸でしばし停泊。
⑭食事は船での生活の最大の楽しみのひとつ。高まりが隠せない山口（左）と高村（右）。

⑮大河・コンゴ河を進む。人と荷物を満載にした木造船が大きな音を立てて行き交う。
⑯1週間におよぶ長い船旅の末にようやくたどり着いた町、バンダカ。

# コンゴ・森と河をつなぐ

## 人類学者と地域住民がめざす開発と保全の両立

松浦直毅　山口亮太
高村伸吾　木村大治［編著］

明石書店

# はじめに

松浦直毅

はるか遠くまで続く広大な森林、大蛇がうねるようにそこを流れる大河。窓に額をはりつけるようにして眼下を望み、精いっぱい目を凝らす。大河の上にうっすらと白い航跡があり、その先にポツンと豆粒のようなかたまりが見える。もしかしたら、あれは仲間たちの船ではないか。あまりにも濃密な昨日までの日々と、それをともにした仲間たちとの別れを想うと、さびしさを感じずにはいられない。その一方で、心も身体もすり減らすような日々が終わり、ようやく日常生活に戻れることに深い安堵感もおぼえる。「帰ったらしばらくゆっくり休もう」などと思いながら窓の外に視線を戻すと、森と河は遠くに消えて、眼下には分厚い雲が広がっている。ようやく緊張から解放されて気持ちがゆるむやいなや、強い眠気がおそってくる。「そうしたら、またかならず戻ってこよう」と心に誓い、目を閉じてまどろみに身をゆだねる。時刻は二〇一七年九月二三日正午、場所は地方都市から首都へと向かう国内線の機内、この国は、アフリカ大陸のど真ん中、コンゴ民主共和国（本書では、以下「コンゴ」とする）だ。私たちは、どのような理由で、何をめざしてコンゴに来て、どんなことをしているのか。そして、どのような結果を生み出し、この先どこに向かおうとしているのか。本書は、コンゴで私たちがおこなってきた、悪戦苦闘だらけであるが、かけがえのないフィールドワークの記録である。

## 困難にあえぐコンゴの人々

アフリカ大陸の中央に位置するコンゴは、アフリカ第二位の面積（約二三五万平方キロメートル）を誇る大国である（16ページ地図1）。アフリカの中でコンゴだけが国の中に時差があるということからも、その大きさがわかるだろう。国土の大半を覆う熱帯雨林には、コンゴだけに生息する類人猿ボノボをはじめとする多種多様な野生動物が生息しており、地下には膨大な天然資源が眠っているという「資源大国」でもある。こうした豊かな資源を背景に、かつてコンゴは、世界屈指の一次産品輸出国として経済発展していた。

しかし、一九九〇年代以降、コンゴでは不安定な政治情勢が続いている。一九九六年に勃発して二〇〇二年まで続き、約五〇〇万人が亡くなったといわれるコンゴ戦争によって、国内の流通網は崩壊し、経済活動も著しく衰退した。とくに都市から遠く離れた森林地帯に暮らす人々への影響は大きく、戦争終結から一五年以上が経過した現在も、人々は深刻な物不足にあえぎ、苦しい生活を余儀なくされている。戦争以前には、森林地帯で外国資本の企業がコーヒー、ゴム、アブラヤシなどのプランテーションを経営しており、地域住民にも現金稼得の機会があった。商品作物の輸送のためにトラックや船が定期的に往来しており、人の移動とモノの流通が活発にみられた。だが、戦争によってこれらの企業が撤退したことで、使われなくなった道路、橋、河川航路は大きく荒廃した。戦争後にもインフラの整備や修繕はほとんどおこなわれておらず、流通は遮断されたままである。二〇一八年末に実施された大統領選挙は、さまざまな問題をはらみながらも平和裡に新大統領が選出されて終わったが、残念ながら政治経済状況が大きく改善される見込みはうすい。くわえて、とりわけ政情が不安定な東部地域において、二〇一八年から一年以上にわたってエボラ出血熱が流行しているが、収束のきざしがなかなかみられず、コンゴの政治経済的な安定の大きな足かせになっている。

大きな困難を抱え、政府も民間企業も外部機関も頼れないこのような状況下で、コンゴの森林地帯の住民は、懸命な自助努力によって生計基盤の再構築を図り、生活の向上をめざしている。現金収入を得るために、森林産物、農産物、家畜などを、ときに数百キロメートルも離れた都市周辺まで自転車や徒歩で売りに行く。数十キログラムの商品を背負って野宿しながら森の中の道を一週間以上も移動し続ける、という想像を絶する過酷な旅を、しかも日常的におこなっているのである（コラム6参照）。また、個々人でできる活動の限界をおぎなうために、地域住民によっていくつもの住民組織が設立されており、協力しあって畑をつくったり家畜を飼育したりしている。だが、このような地域住民によるなけなしの自助努力だけでは、生計基盤の安定までの道のりは果てしなく遠く、困難な生活状態を脱することはきわめて難しいのが現状である。

## 本書の舞台・ワンバ地域

コンゴ北中部のチュアパ州ルオー郡ワンバ村とその周辺地域（16ページ地図2、本書では、以下「ワンバ地域」とする）では、日本人研究者が中心となって、一九七〇年代からボノボの研究がおこなわれてきた。ボノボの野外調査とともに、地域住民を対象とする調査もおこなわれ、ワンバ地域は、霊長類学と生態人類学の重要な長期研究拠点となってきた（コラム1参照）。しかし、ここでもコンゴ戦争が大きな打撃となった。研究者らのはたらきかけによって「ルオー学術保護区」が設立された矢先の一九九一年、政情の不安定化によって研究活動は中断を余儀なくされ、戦争が終結して調査が再開されるまでには一〇年以上の歳月がかかった。

戦争後、古市剛史さんが中心となり、新たに若手研究者や大学院生らがつぎつぎにくわわって、ボノボ研究はふたたび活性化したが（コラム3、コラム5参照）、人類学的研究の再興には時間を要した。そうしたなかで、ワンバ地域での人類学的研究のわずかな火を絶やさずにひとりで守ってきたのが、木村大治さんであった。その後、二〇一〇年代に入って、私をふくめた本書の執筆者らがつぎつぎに調査に着手してこんにちまで研究を続けており、ワンバ地域における人類学的研究は、少しずつではあるが確実に、ふたたび熱を帯びてきたのである。

研究活動が盛り上がる一方で、私たちは、地域住民の生活が非常に困難で不安定であることを目の当たりにしてきた。調査を通じて現地の人々と親密な関係を築いてきた私たちは、友人たちの力になるべく、調査研究の一環として、また、個人的な取り組みとして、地域に対して小規模ながら支援活動をおこなってきた。しかし、個別の少額の援助だけでは、地域にもたらされる効果は限定的であることは否めない。小規模で継続的な支援にくわえ、幅広く地域の人々を巻き込んで、地域社会全体に波及するような大きな事業をおこなう必要性を感じ始めていた。なかでも、住民生活の向上を図るうえで最大の障壁となっている劣悪な交通事情を克服することが、最も大きな共通課題であった。

## 困難な生活を克服するために

そこで私たちが着目したのは、道や橋がほとんど整備されておらず、手段が徒歩か自転車、せいぜいバイクにかぎられる陸上交通ではなく、一度にたくさんの荷物を運ぶことができる船による河川交通である。ワンバ地域には学術保護区の名前にもなっているルオー川が流れており（写真0－1）、ルオー川はずっと先の下流で河川交通の大動脈であるコンゴ河にそそいでいる。ワンバ地域の人々は、「河の民」とも自称するように、昔から河川の利用に精通しており、プランテーション会社が操業していた時代には、大型船に乗って河川を頻繁に行き来していた。大型船の往来がなくなった現在も、丸木舟を駆使して漁労活動を営んだり、川沿いの漁労キャンプを移動しながら生活したりと、河川とのむすびつきは依然として強い（写真0－2）。「河の民」と呼ばれる地域住民と協力して、困難な「森の道」にかわる「河の道」をふたたび切り開くことはできないだろうか。そ

写真0－1　ルオー川をのぞむ

写真0-2　川を移動する村人、手にはヘビ革のハンドバッグ……ではなく本物のヘビ

れによって地域の経済活動を活性化し、住民生活の向上につなげられないだろうか。それが「水上輸送プロジェクト」の着想だった。

水上輸送プロジェクトでは、ワンバ村とそのとなりのイヨンジ村の住民、なかでも継続して安定的に活動している住民組織と協力して商品を集め、それを船に載せてルオー川を下り、ワンバ地域から約八〇〇キロメートル先にあるコンゴ河沿いの地方都市バンダカをめざすことにした。往路は、松浦、山口、高村の筆者三人も船に同乗して、村の代表メンバーらとともにバンダカに向かう。バンダカで商品を売却し、そのお金で工業製品を買うとともに、研究チームからの地域支援として学校や病院のための物品を購入して、それらを載せて船はワンバ地域へと帰る。帰路は、私たち三人は同行できなかったので、村からのメンバーに責任をもってもらうことにした。そのようにしたのは、私たちのスケジュールの都合もあったが、彼ら自身がプロジェクトの舵取りを受けつぎ、自分たちでやり遂げるという試みでもあったからである。

## 本書の特徴と構成

本書の軸となるのは、松浦、山口、高村が実施した「水上輸送プロジェクト」である。プロジェクトの構想から始まり、プロジェクトの一連の過程、プロジェクトが地域にもたらした影響やその後の展開について示すことで、地域住民との協働による開発事業の意義と可能性を探ることをめざした。同じプロジェクトにかかわった三人が、三者三様の視点でその過程やプロジェクトに対する考え方を描くことで、地域開発事業について多角的に検討し、そのあり方を問い直してみたい。

軸となる「水上輸送プロジェクト」のストーリーにくわえて、本書では、関連するテーマについてのコラムを各所に挿入している。コンゴでの人類学的研究を牽引し、私たちをコンゴに導いてくれた木村さんのほか、地域住民を対象とした研究をおこなっているふたり（横塚・安本）と、ボノボ研究者のふたり（徳山・坂巻）が、プロジェクトの背景となる歴史、文化、自然に関する話題を提供している。戦争によって一度は白紙に戻ってしまったコンゴにおける研究が、戦後一五年あまりでどこまで立て直されてきたのか。立て直しにとどまらず、現代的状況の中でどのような新展開をみせているのか。「コンゴチーム」が続けてきた研究の成果の一端をご紹介したい。

本書は、私たちがおこなった開発事業の事例にもとづく研究と実践の成果であるが、一読しておわかりいただけるように、私たちは自分たちの思いや体験をできるかぎり軽やかに、そして生き生きと描くことに努めた。それはひとえにコンゴという国、そして、そこで生きる人々の魅力を多くの人に伝えたいからである。コンゴといえば、政情不安、エボラ出血熱、難民、児童徴兵、性的暴力、紛争鉱物……というような暗く重たい言葉がつぎつぎに連想され、そうした話題ばかりが流布している。しかし、フィールドワークを通じて私たちがかかわってきたコンゴとは、くみつくせない魅力をもった場所であり、そこに暮らしているのは、明るくたくましく人なつっこい「ふつうの人たち」である。本書を通じて、私たちが魅せられてきたコンゴの新たな一面を知っていただければと思う。

# コンゴ・森と河をつなぐ

## ——人類学者と地域住民がめざす開発と保全の両立

目次

はじめに（松浦直毅）　3
地　図　16

## 第Ⅰ部　森の世界・河の世界

第１章　調査地までの長い道のり（松浦直毅）　18
コンゴに降り立つ／キサンガニへ／いざ出発／長い長いバイクの旅／ワンバ村へ
〈コラム１〉ワンバ地域における人類学研究史（木村大治）　33
第２章　森に暮らす農耕民ボンガンド（山口亮太）　42
三年ぶりのコンゴ／森の道・空の道・河の道／セスナで調査地へひとっ飛び／農耕民ボンガンド／自然環境と生業／ボンガンドの言語と人づきあい／入れ子状の社会構造／ボンガンドの婚姻／ボンガンド社会の特徴
〈コラム２〉日常会話からみるボンガンドの社会（安本　暁）　60
第３章　境界を越える（高村伸吾）　69
コンゴとの出会い／初めてのフィールドワーク――森の民ボンガンドの困窮／市場を遍歴す

る河の民ロケレ

## 第Ⅱ部　森で生きる

第4章　地域開発のカギをにぎる住民組織（松浦直毅）　84
急増する住民組織／住民組織が地域を変える？／船問題と燃料問題／着々と進む準備

〈コラム3〉ボノボをめぐる保全の変遷（坂巻哲也）　98

第5章　ボンガンドの森の生活
——食用イモムシ「ビンジョ」と蒸留酒「ロトコ」（山口亮太）　107
イヨンジ村の住民組織／イヨンジ村の森のキャンプ／ワンバ村の森のキャンプ／食用イモムシ「ビンジョ」／蒸留酒「ロトコ」／河川交易の発展とその実態解明へ向けて

〈コラム4〉変わりゆくボンガンドとボノボの関係（横塚　彩）　123

第6章　船旅に向けて（松浦直毅）　130
ワンバの日常／住民組織との会合（ワンバ村編）／商品の確認／住民組織との会合（イヨンジ村編）／ふたたび船問題／リンゴンジ、リゾート地？／出発に向けて／ふたたび燃料

問題
〈コラム5〉ボノボを追ってコンゴの森を歩く（徳山奈帆子） 145
第7章 魚の捕り方を一緒に考える（高村伸吾） 153
フィールドで得た希望／現地の人々とどう向き合うか／ともに考え、ともに行動する
第Ⅲ部 森と河をつなぐ
第8章 波瀾万丈の船旅（松浦直毅） 168
船出／お出迎え／そして出発／ジェテを打つ／トイレ問題／船上の食生活／船での楽しみ／広がる川幅と期待／バサンクス、ノーサンクス？／背徳行為／砂洲につかまる／バリニエにぶつかる／軍隊に追いかけられる／大河・コンゴ河
第9章 船旅に想う（山口亮太） 191
気になる空模様／うるさい水先人／船旅でのおしゃべり／タカムラの活躍／自分なりの地域住民とのかかわり方

第10章　重荷を分け持つ（高村伸吾）　207
リーダーの仕事／亀裂の予感／闇の奥から船を押し出す
〈コラム6〉「森の道」を歩く（木村大治）　219
第11章　長い旅の果てに（松浦直毅）　235
バンダカ、万感の思い／またまた燃料問題／商品の売却を通じて得たもの／新たな船出
第12章　それぞれの一年後（山口亮太）　248
ふたたび、ワンバへ／この一年の様子／住民組織が引き起こす問題／森を守りながら、住民の生活を改善する道を模索する
おわりに（松浦直毅）　258
参考文献リスト　268

地図 1

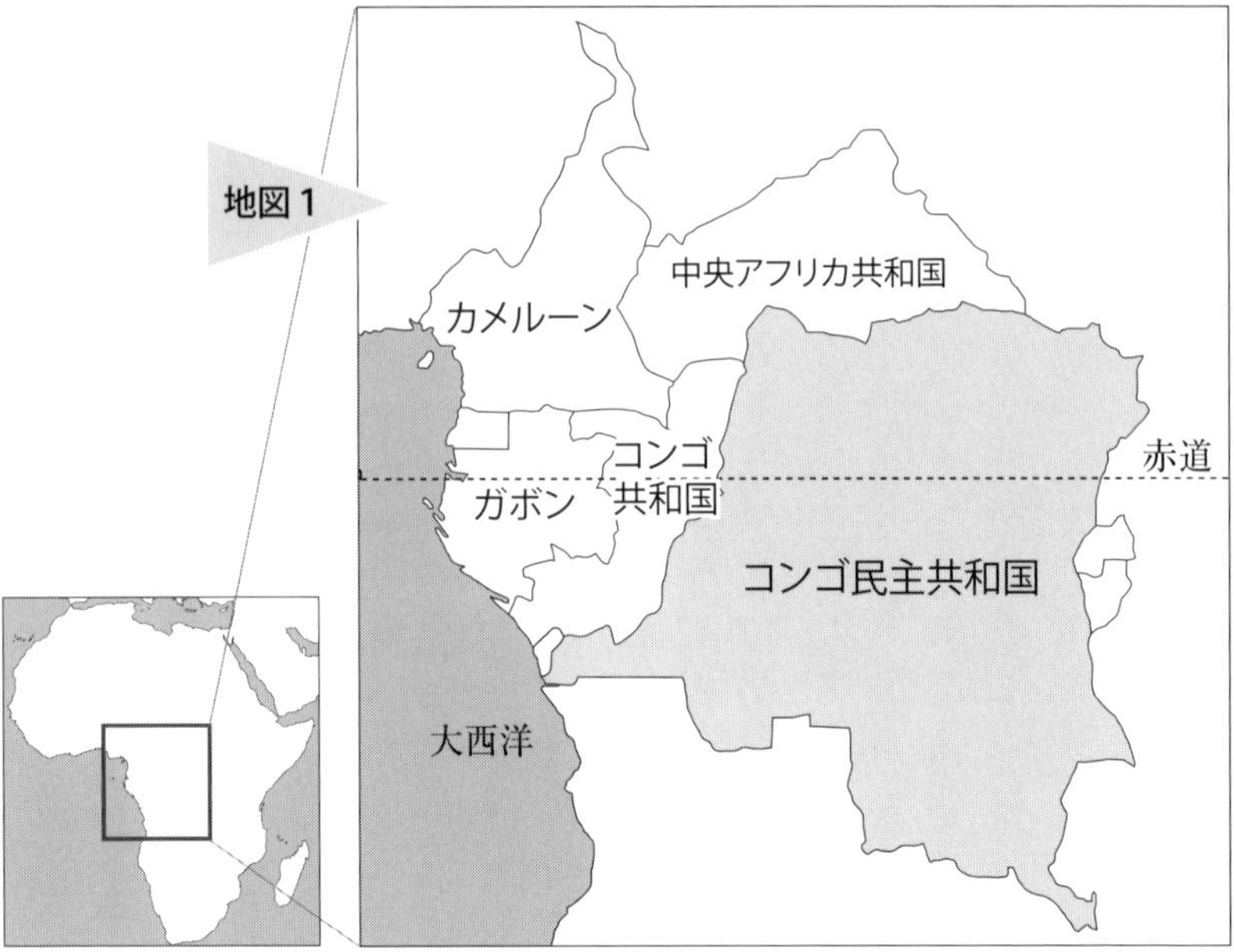
中央アフリカ共和国
カメルーン
コンゴ
共和国
赤道
ガボン
コンゴ民主共和国
大西洋

地図 2

ロポリ川
ワンバ地域
バサンクス
イサンギ
バンダカ
キサンガニ
ルオー川
コンゴ河
チュアパ川
キンシャサ
0
300
600
900km

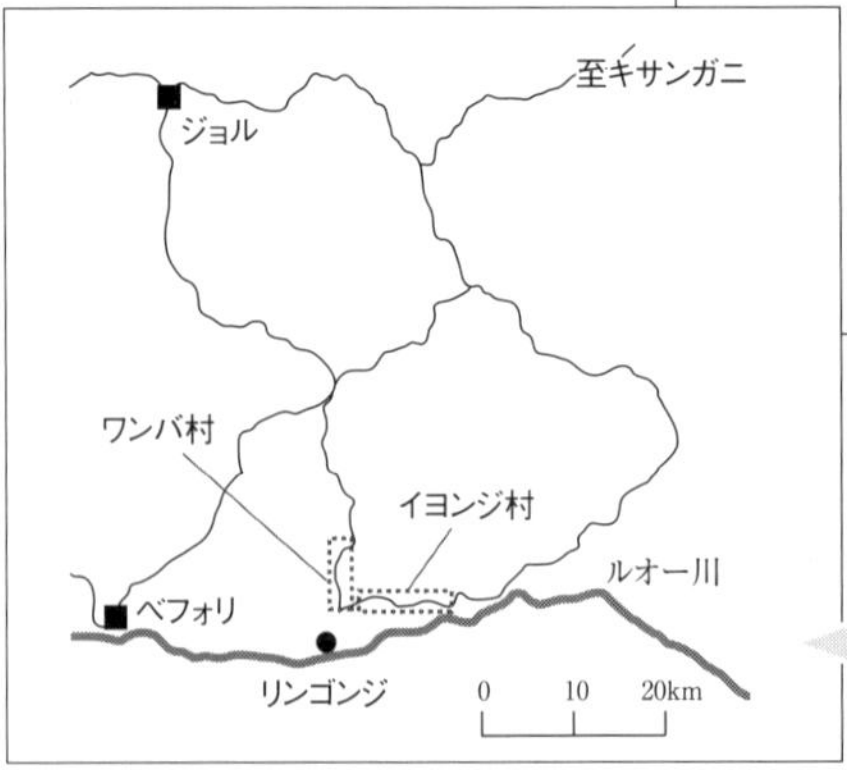
至キサンガニ
ジョル
ワンバ村
イヨンジ村
ルオー川
ベフォリ
リンゴンジ
0
10
20km

地図 3

# 第Ⅰ部　森の世界・河の世界

# 第1章　調査地までの長い道のり

松浦直毅

## コンゴに降り立つ

コンゴに来るといつも胸が高鳴る。その理由のひとつは、治安が悪く、危険に巻き込まれるかもしれないという緊張感があるからである。現在も東部で蔓延しているエボラ出血熱をはじめ、感染症の報告も後を絶たない。外務省の海外安全情報では、国境付近の紛争地帯などでは「渡航中止勧告」や「退避勧告」が出ており、首都キンシャサをふくむそれ以外の地域も、レベル二の「不要不急の渡航は止めてください」とされている。私も実際に、キンシャサの路上で強盗にあった経験もあれば、調査地にいるときに近隣地域でエボラ出血熱が発生して退避を余儀なくされたこともある。安全と健康のために十分な対策をとり、細心の注意を払って行動しなければならない、という意味で身が引き締まる場所であるのはまちがいない。

しかし、胸が高鳴る理由はそれだけではない。危険に対する緊張よりも心のずっと多くの部分を

写真１−１　キンシャサの町なみ

占めるのは、次はどんな発見があるのかという期待感である。二〇一一年に初めて来てから二〇一七年の今回が六回目で、滞在期間はそれぞれ二週間〜一か月くらいという短いものであったが、来るたびにいつも新たな出会いと刺激的な体験がある。私の研究にとってコンゴに来ることは、「不要不急」などでは決してなく「不可欠なもの」なのである。

私の専門は人類学で、ガボンの狩猟採集民の研究を長くおこなってきた。それにくわえて、博士の学位取得後からは保全と開発にかかわる実践的な研究にも着手し、そのなかでコンゴでも調査を進めてきた。コンゴにもだいぶなじんで研究内容も深まってきたところで、二〇一七年は、夏休みを目いっぱい使って二か月強の期間を確保し、これまでにない挑戦を企てていた。

日本での仕事を済ませたら、間髪入れずに荷づくりをして出発し、七月二四日夜にキンシャサの空港に着く。最近はこんなふうに、日常生活に忙殺されて気がつくと出発の日を迎えており、心の準備が整わずフワフワした気持ちのまま来てしまうことも多い。日本での生活で心も身体もなまりきっていて、感覚も半分眠ったような状態だ。何回来ても大変な場所で、正直に言ってしまうと、どこか気が進まないような心境のときもある。しかし、キンシャサの空気に触れると、一気にモードが切り替わる。フィールドワーカーのスイッチが入って、半分眠っていた感覚が目を覚まして鋭敏になるという感じだろうか。空港には約束していたはずの調査チームの運転手が来ておらず、次から次へと怪しげなタクシードライバーが声をかけてくるが、それもちょうどいいウォーミングアップだ。

そうしてしばらく押し問答していると、運転手がやってくる。合流できて一安心だ。空港から市街へと向かう道中、両側に所せましとひしめく住宅、道路にまであふれ出てきそうな数々の露店、明るく能天気なメッセージが書かれた看板広告、交差点に無秩序に押し寄せて渦を巻く人と車、猥雑な街には似つかわしくない真新しくきらびやかなマンションやスーパーマーケットなどが、つぎつぎに目に飛び込んでくる（写真1－1）。土ぼこりなのか、光化学スモッグなのか、はたまた露店の炭火焼の煙なのかわからないが、辺りにはモヤが立ち込めている。一〇〇〇万人を超えると推定される（雑然としすぎた町のため、正確な人口統計を示すのが難しい）人々の生きるエネルギーが満ちあふれ、欲望がほとばしっている。ピリピリと肌を刺すような町の喧騒を通り抜けて一時間ほどでホテルにたどり着くと、長旅の疲れでシャワーを浴びる元気もなく、ベッドに倒れ込むなりぐっすりと寝る。

## キサンガニへ

七月二五日早朝、国内線でキンシャサから東部の都市キサンガニに向かう。キサンガニから調査地であるワンバ村までは、バイクでの移動である。キンシャサからワンバ村への道のりは、長く時間がかかるという意味と多くの困難があるという意味で、日本からコンゴまでの道のりよりもずっと遠い（16ページ地図2）。キンシャサからキサンガニまでは飛行機で約二時間だが、そこから深い森林の真っただ中にあるワンバ村まで三〇〇キロメートル以上離れており、バイクで三泊四日の旅である。調査チームでは、キンシャサでセスナ機をチャーターして、ワンバ村から約八〇キロメートルのジョルという町まで行くことが多く、これだと半日ほどでワンバ村に着く。大きなネックはその費用で、セスナ機を一回飛ばすのに一万ドル以上かかるため、一緒に乗って費用を折半できるメンバーがいない今回は、大幅な遠まわりになるルートを選ぶしかなかったわけである。

搭乗手続き、身元審査、荷物検査など、飛行機に乗るまでにはいくつかのハードルが待ちかまえていて、ここでもウォーミングアップには事欠かないが、どこからでもかかってこいと身がまえていたわりにはスムーズに通過できた。しかし、あろうことか空港が停電しており、チェックインが手作業でおこなわれたため、一時間ほど遅れての出発となる。つい「あろうことか」と書いてしまったが、まあよくあることではある。

キサンガニに着くと、先に現地入りしていた河川交易の調査をしている高村伸吾君（以下、いつもの呼び方でタカムラ）が空港まで迎えに来てくれていた。顔なじみのバイク運転手のアデラールとトレゾールも一緒に来てくれており、久しぶりの再会を喜ぶ。ふたりともジョル在住の腕も性格も良い運転手で、私の到着に合わせてキサンガニまで来てもらい、ワンバ村まで連れて行ってもらうことになっていた。そう、バイクで三泊四日といっても、自分で運転するわけではないのである。それなら楽ではないかと思われるだろうか。しかし、わかってもらいたい。運転手と大量の荷物とのあいだに挟まれて座り、でこぼこ道を抜け、落ちかけた橋を渡り、延々と続く森の道を通って旅をするのは、まったく楽ではない。「フィールドワーカーのスイッチが入って」などと勇ましく言ってしまったが、やっぱりバイクの長旅はひたすら憂うつだ。

ごはん、牛肉のスープ、ポンドゥ（キャッサバの葉を細かくつぶしたもの）、煮豆というローカルレストランの「フルコース」を堪能したあと、さっそく調査の準備に動きまわる。コンゴの地方都市では、とくに中国製のバイクの普及がめざましい。一〇〇〇ドル未満なのでがんばれば庶民でも手に入れることができ、街なかにはバイクタクシーがそこかしこに走っている。もちろん、劣悪な道路を通って地方部に向かうのにも最適である。

もうひとつめざましい勢いで普及しているのが携帯電話である。もはや生活必需品と言ってよく、若者からお年寄りまで持っていない人を探すのが難しいくらいで、二台や三台を所有している人も少なくない。安価で手に入る端末もあり、「ユニテ」と呼ばれる通信料はプリペイド方式なので、それぞれのフトコロ事情に合わせて利用できる。また、端末間でユニテをやりとりできるので、経済水準が高くない人も、裕福な知り合いからユニテを送ってもらうなどして日常的に使えるし、最近では送金サービスも始まっている。

　フィールドワーカーにとっても、携帯電話は不可欠である。私は、これまでは現地で買ったいわゆるガラケーを利用していたが、今回はシムフリーのスマホを持ってきたので、シムカードを買ってさっそく使ってみた。通話はもとより、インターネット通信もほとんどストレスなく利用できる。ネタバレをして同業者に迷惑をかけることになるかもしれないが、「アフリカに行くのでしばらく連絡できません」というのはひと昔前の話で、キサンガニくらいの規模の都市にいるときであれば、いつでも電話が通じるしメールも逐一みられる。

写真1－2　キサンガニの教会の宿泊施設

　つづいて、銀行に行ってドルをコンゴフランに換金する。ここ数年間は、一ドル＝一〇〇〇フラン弱で大きな変動はなかったが、二〇一七年に入ったあたりからフランの価値が下落して、一ドル＝一六八〇フランになっていた。ドルをフランに替える私たちにはかなり得になるが、もちろんそれで喜べるような単純な話ではなく、庶民の生活に大きく響き、経済不安が高まれば治安の悪化も懸念される。タカムラがつきあっている商人たちにとっても死活問題だそうだ。

　宿泊先は教会施設である。ベルギー植民地時代からある建物で、荘厳で趣があり、ずっしり響く大きな鐘の音が心地良い（写真1－2）。しかし、ほとんど資金がないからだろう、二〇

写真1−3　急流に大きな筌（うけ）を設置して魚を集める伝統的な漁法

世紀後半以降はほとんど手入れも改修もされていないようである。ベッドと机だけの部屋も共用の暗くて汚いトイレや水浴び場も、お世辞にも快適とは言えない。数十年間ときが止まったままの遺跡のような建物は、コンゴのそこかしこで見かける。コンゴ戦争によって地方の交通も経済も壊滅的な打撃を受け、補修の手がまわっていないからである。かつては世界屈指の一次産品輸出国として経済発展していたコンゴが、もしも戦争を経験することなくそのまま発展していたら、と思えてならない。

キサンガニの魅力は、なんといってもコンゴ河の風景である。夜はタカムラとふたりでコンゴ河に面したバーに行き、クワンガ（キャッサバを蒸したもち状の主食）と魚をつまみに、港の喧噪とのんびり川を行き交う丸木舟とを交互に眺めながら、コンゴ産のプリムスビールを飲む。一か月半後にはうんざりするくらいこれから川を見ることになるわけだが、うっとりとしながら「川はいいねえ、きれいだねえ」と呑気に語り合う。

七月二六日、キサンガニでの用事が済み、旅の準備もだいたい終わったので、キサンガニ観光に出かける。「シュット・ワゲーニア（ワゲーニアの急流）」という場所が、ちょっとした観光地になっている。急流の真ん中に木の骨組みを建てて大きな筌《うけ》をしかけるという、伝統的な漁法が知られているところである（写真1－3）。タカムラの友だちにガイドしてもらって、舟で中洲まで行ってみる。急流が間近に見えて迫力があり、水しぶきがすこぶる気持ち良い。気持ち良くなりすぎたのか、気がつくとタカムラは、友だちと一緒にパンツ一枚で川に飛び込んでいた。パンツ一枚で川に飛び込むタカムラの姿は、一か月半後にも目の当たりにすることになるが、それはまた別の話である。

## いざ出発

七月二七日朝、いよいよキサンガニを出発する。アデラールとマツウラ、トレゾールとタカムラという、語呂がいい組み合わせでバイクに乗る。タカムラはここから一〇〇キロメートル強離れたイサンギという町を拠点に調査をしているので、そこまで同行してもらい、そのあとは自分とドライバーふたりでワンバ村に向かう。バイクが二台あるのでゆったり乗れると思っていたが、せっかくキサンガニまで来たからということだろう、アデラールたちがテレビだのスピーカーだのいろいろな物を買い込んでいるので、結局たくさんの荷物と運転手に挟まれての窮屈な移動である（写真1－4）。

曇り空で風が涼しく、道もそれほど悪くないので、まずまず快適で順調な旅だが、やはり何時間もバイクに乗っているとお尻と腰が痛くなってくる。昼食休憩で一息ついて一四時すぎに川岸に着き、ここから舟でコンゴ河を横断して対岸のイサンギに向かう（写真1－5）。「対岸に渡る」といってもさすがに広大なコンゴ河で、モーター付きの丸木舟で二〇分ほどかかる。

写真1-4　バイクでの移動の体勢、前に運転手アデラール、後ろに木村さん

写真1-5　コンゴ河を渡る

今日の旅は少し短くここまでで、タカムラともしばらくお別れである。そのタカムラであるが、コンゴで活動するにあたっては、このうえなく頼りになる人物である。学校建設と日本語コース開設のプロジェクトに携わってキンシャサで合わせて二年以上過ごしたほか、作家の田中真知さんと一緒にコンゴ河を旅した経験もある（田中 2015）。たんにリンガラ語が堪能で経験が豊富というだけではなく、コンゴへのひとかたならぬ愛情をもっており、ちょっと暑苦しい性格ではあるが、誰からも愛される魅力的なキャラクターで、今回のプロジェクトにとっても欠かせないメンバーだ。

ただ一方で、地域に対する支援や貢献という観点では、あくまで研究者であることを貫きたい私とタカムラとは考え方のちがいもある。彼にとって地域への支援とは、住民の自立をうながし、自分がいなくても彼らだけでできるようになることであるという。開発援助の常識といえる考え方だろう。それに対して私は、それは自己満足だといわれるかもしれないが、研究を続け発展させることこそが、研究者である自分にできる地域への貢献だと信じている。人々が自立して自分が要らなくなることを目標にするのではなく、お互いがお互いを必要としながらずっとかかわり続け、それぞれの目標を達成しようとすることで、結果的に地域住民の生活向上につながればよいのではないかと考えている。今回のプロジェクトは、そうした研究者と地域住民のかかわり方や、地域開発のあり方を問い直すための挑戦でもある。タカムラとふたり、川岸でそうしたことを長々と語り合い、一か月半後のワンバ村での無事の再会を誓い合う。

## 長い長いバイクの旅

七月二八日、タカムラに別れを告げてイサンギを発つ。すでに少し身体に疲れと痛みがあるが、ひとまず心身ともに調子は良好である。しかし、昼ごろにモジテという町に近づいてきたあたりから お尻と脚のつけ根の痛みが増してくる。モジテで休憩することにしていたので、冷えたコーラを想像しながら今か今かと到着を待ち、モジテが見えてきたところで「ようやく休憩だ、コーラだ」と思ったが、前を行くトレゾールはそのまま通過してしまう。これはしまった、アデラールとトレゾールのあいだで予定が共有されていなかったのである。もうモジテまで引き返すわけにはいかないが、張りつめていた気持ちを一度緩めてしまったら走り続けるのは無理で、道沿いの民家で軒先を借りて休む。そこで出してもらった水は、冷たいコーラほどではないが、カラカラの喉にしみる

写真1－6　壊れた橋を渡る

おいしさである。お尻のまわりがヒリヒリし、腰や背中にも疲労が蓄積しているが、身体を伸ばしたりほぐしたりすると少しやわらぐ。

再出発して一四時すぎにロボロという大きな町に着く。給油と簡単なバイクの整備をおこない、遅めの昼食をとる。とにかく食事がおいしく、ぶっかけ飯を夢中でかきこむ。ロボロを出たすぐ先が難所である。橋が数本かかっているのだが、そのすべてが壊れかけていて、すんなり渡ることができない。いちいちバイクを降りて押して渡らなければならないが、橋はぐらぐらとして不安定で、頼むから落ちないでくれとひやひやしながら見守る（写真1－6）。

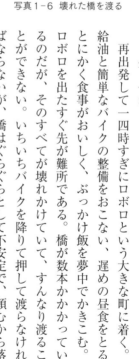

なんとか難所を突破してさらに進むが、このあたりは疲労がピークに達して、最もつらい時間帯である。でこぼこ道でバウンドするたびにお尻に痛みが走る。体じゅうに力が入っているせいで、バイクに乗るのには関係なさそうな肩やひざも痛い。痛みに耐えられなくなってきたところで止めてもらって休むと少し回復するが、ふたたび走り出すと回復した分をすぐに使い切ってしまう感じでまた身体が痛み出す。奥歯をくいしばり、痛みを忘れるために必死で他のことを考えようとする。

そうして耐え忍びに耐え忍んで、一八時半にコールという小さな町に着く。今日はここで一泊である。朝から約八時間で一五〇キロメートルほど走ったことになるか。長旅で疲れと汚れにまみれたあとの水浴びは最高に気持ち良く、クワンガ、朝イサンギで買ったパン、オイルサーディン缶という質素な食事もごちそうである。お世辞にもきれいとはいえない、むだに気密性が高くて蒸し暑い部屋も、快適とはいいがたいベッドも、とにかく休めるだけでありがたい。

七月二九日、出発する前からすでに体が重く痛みも残っているが、コーヒーと揚げバナナの朝食で元気を高めてコールを離れる。ここから先はしばらく大きな町がなく、延々と続く森の中の道をひたすら進む。少しばかりバイクに乗るのに慣れてきたのか、痛みが増すこともなく快適である。両側から竹がせまってきている森の道は比較的平らで、空気はひんやりしている。草木や果実のさまざまな匂いがときおり鼻をかすめる。おびただしい数のチョウが群がっている水たまりをバイクで突き抜けると、花吹雪のようにチョウが舞い上がって美しい。舞い上がった拍子に、メガネと目のあいだに入り込んできたりするのもご愛嬌である。途中、いくつか村を通過する。家の屋根から立ちのぼる煙、のんびりと寝そべっているヤギ、せわしなく動くニワトリ、整然と並んだコーヒーの木、開かれたばかりの畑などを見ていると、こんなところにも素朴だが力強い人々の営みがあるという当たり前のことにあらためて感嘆する。

昼すぎにロポリ川に着く。川の周辺の道が浸水しており、バイクで通過するとひざから下がびしょ濡れになる（写真1−7）。この川はふたつの州の境界になっており、川を越えたらワンバ村があるチュアパ州に入る。州の境界であるとともに、この川を境に時間が変わる。コンゴにはふたつの時間帯があって、東側は日本からマイナス七時間、西側はマイナス八時間である。一三時から一

写真1－7　川のそばの浸水した道

二時に時計を戻す。一時間得したような、旅の苦しい時間を一時間延長されて損したような複雑な気分である。通行手続きと渡し舟を待つのに二時間ほど足止めされたが、無事に川を渡る。

チュアパ州に入って、旅も終盤にさしかかる。身体の痛みが増してきたところで本日最後の休憩をとり、再出発してまたしばらく走る。一六時二〇分、同じような景色が続いているのと、心を無にしていたのとで到着したことにしばらく気づいていなかったが、ようやくジョルに入る。見慣れた道や建物が視界に入ってきて安堵し、アデラールの家に部屋を用意してもらってほっと一息つく。水浴びがこのうえなく気持ち良く、ごはんと魚の夕食がまた格別である。「苦しいこともたくさんあったが、振り返ってみればまあこんなものか、いい経験になったのではないか」などと、背中、腰、脚のすべてが痛いせいでぎこちない歩き方になりながら、心の中では余裕の発言もしてみる。

広々としたベッドも快適で、これだけのもてなしをしてくれて本当にありがたい。本当にありがたい……のだが、もてなされすぎて困ることもある。ゴキブリを退治するために殺虫剤をこれでもかと撒いてくれたせいで、ベッドで寝ているところに殺虫剤で弱ったゴキブリが壁や天井からポタポタと落ちてくるのである。足の方から体へと迫ってくるヤツ、お腹の上をウロチョロするヤツ、きわめつけは顔に直接ダイブしてくるヤツもいる。シーツをかぶって防御するが、そうすると蒸し暑く息苦しくて耐えがたい。たまらずシーツをとると、今度はつぎつぎに黒い落下物。もはや悪夢としか言いようがない。転げ落ちそうになりながら、ベッドの端っこ二〇センチメートルくらいのところで身体を丸める。別の場所に避難するとか、持っていたテントを張ることも考えたが、バイクの長旅による疲れとはすごいもので、こんな状況でも体を動かす気にならないのである。結局、そのままぐっすり寝てしまい、気がついたら朝を迎えていた。私の身体の上をどのくらいのヤツらが通り過ぎたのかわからないが、地面には二〇はゆうに超える数の黒光りする物体が落ちていた。

## ワンバ村へ

七月三〇日、私の到着を聞きつけて、さっそく朝からつぎつぎに人が訪ねてくる。再会を楽しみにしていた知人たちだけでなく、何だかよくわからない役人や住民組織の関係者もいる。数年にわたって調査や支援活動をしていると、人々からも次第に認知されていくのだが、このように話しに来てくれること自体は嫌ではない。そうやって巻き込まれ、からめとられながら、いろいろな人たちとかかわっておこなうのが私たちの調査であり、むしろありがたくもある。しかし、それにしてもちょっとぶしつけな輩が多い。「はじめまして」の二言目には、協力の要請というか、もっとストレートな支援要求が始まる。しかも、数十ドル、数百ドルの事業なら話し合う余地があるが、いきなり五〇〇〇ドルとか一万ドルの計画を持ってくる。こちらの事情にも能力にも目的にもおかまいなしで、盛れるだけ盛ってとりあえず要求してみるというのが、彼らのコミュニケーションのあり方なのである。「ちょっと相談に乗ってほしいのだけど」といった低姿勢ではなく、むしろちょっと偉そうな態度なのも特徴である。きちんと話は聞きつつ、丁重に追い返す。

昼食を済ませて、ようやく午後にジョルを発つ。ここまで来ればゴール目前といいたいところだが、前夜に激しい雨が降ったせいで道が川のようになっているところがあり、でこぼこやアップダウンも多くて苦労しながら進む。あと少しだと思ってしまうと、そこからの道のりがやたらに長く感じられる。

ジョルから三時間、キサンガニからでいえば丸三日間の旅を終えて、一七時前にやっとやっとワンバ村に着く。調査基地（写真1－8）には、ボノボ研究者のみなさんが滞在しており、

写真1－8　ワンバ基地の入口

無事の再会を喜ぶ。村の人たちもたくさん集まってきてくれる。長い旅の末にたどりついただけに、約一年ぶりの再会の感慨もひとしおである。この一年のあいだの出来事や今回の一大計画のことは明日からゆっくり話すことにして、身体を休める。ヤギ肉、魚、野菜、ごはんという豪華な食事と、キンシャサのホテル以来の熱いお湯浴びを堪能してぐっすりと眠る。さあ、これからいよいよ一か月半の調査生活のはじまりである。

コラム 1

## ワンバ地域における人類学研究史

木村大治

前章では、松浦君が長い道のりの末にワンバ地域にたどり着いた。それにしても、なぜこんな熱帯雨林の奥深くで調査をおこなうことになったのだろうか。ここでは、この地における、私自身を含む日本人の調査の歴史を書き綴っておきたい。

ワンバ地域は、類人猿ボノボの調査地として世界的に知られている。ボノボ（学名：*Pan paniscus*）は、チンパンジー（学名：*Pan troglodytes*）とは近縁だが別種の類人猿で、コンゴ河の左岸（南側）にのみ分布するコンゴの固有種である。この国の深い森や不安定な政治状況に阻まれ、その生態や社会は長いあいだ謎に包まれていたが、一九七二年に西田利貞先生がコンゴ西部のトゥンバ湖付近で予察をおこなったのち、加納隆至先生（以下「加納さん」とさせてもらう）が翌一九七三年より本格的な調査を開始した。五〇年近くも前のことである。加納さんは五か月間にわたってボノボの分布域を広く旅し、最終的にワンバ村を調査地として選定した。ワンバ村にはボノボが多く生息しており、また人々はボノボを食べることをタブーにしていたのである。「カノウは自転車でこの村にやって来た」と、ワンバ村の人たちは今も語り伝えている。加納さんに続いてその後、たくさんの霊長類研究者がワンバ村に入り、継続的にボノボの調査をおこなってきた（加納 1986）。

それでは、私たちがおこなっている人類学の調査はどのように始まったのだろうか。

これまでの京都大学におけるアフリカ研究は、霊長類の調査と人類の調査が並行して進んできた。双方を視野に入れることによって、サルから人類への進化を明らかにしようというのがその大きな目標であった。そこではしばしば、霊長類の調査が先行し、その調査地に人類学者が入るということが起こった。霊長類の研究は、加納さんがやったように、よい調査地を定めることが絶対条件だが、人類学の方は「ここでやらないといけない」といった制約が比較的少ない。そこで、霊長類調査である程度地ならしができた地域に、人類学者が入って人々の暮らしを調べる、ということがおこなわれてきたのである。

　ワンバ地域では、一九七〇年代に、武田淳さんと佐藤弘明さんのふたりが生態人類学的な調査をおこなっている。生態人類学とは、教科書的に言えば「人々とその環境とのかかわりを実証的なデータに基づいて調べること」と定義できる。武田さんは、ワンバ地域に住むボンガンドという農耕民を対象に、佐藤さんはその南に住むボイエラという農耕民を対象に調査をおこなった[1]。武田さんはボンガンドの狩猟や食生活について詳細なデータを集め（武田 1987）、佐藤さんもボイエラの農耕活動や狩猟活動について優れた研究を残し

写真 C1－1 1980年代におこなわれていた網猟。現在ではほとんどおこなわれていない

ている（Sato 1983）（写真C1―1）。彼らのあとにワンバ地域で調査を始めた私は、現地でふたりの研究を読み直してみて、生態人類学でこれ以上面白い仕事ができるのだろうか、と若干暗い気持ちになったものである。

私自身は、一九八六年にはじめてワンバ地域に入った。よく「調査地はどうやって決めたんですか」と聞かれるが、ここでやる強い必然性があったわけではない。指導教官であった伊谷純一郎先生や助手（当時）の市川光雄さんらが相談し、「修士のときに人々の社会関係をテーマにしている木村なら、濃密な社会関係をもった農耕民がいいだろう」という話になり、「ワンバに行け」ということになったようだ。私自身、やりがいのありそうなテーマだったので、即座に「行きます」と答えたのだった[2]。

最初の調査は、加納さんの科学研究費でお金を出してもらい、一九八六年九月から三か月間おこなった。当時は、ワンバ地域から約四〇〇キロメートルの距離にあるボエンデという町まで定期航空便で行き、残りの道をボロボロのランドクルーザーで走らなければならなかったのだが、バッテリーがいかれていて押し掛けしかできないその車が、一日目の夕方に溝にはまってエンストしてしまい、その夜は助手席で突っ伏したまま寝ることになるという洗礼を受けた。最初からかなり強

（1）ボンガンドやボイエラを含む、モンゴという民族集団に関しては、二〇世紀初頭から植民地行政官や宣教師による人類学的な記録が残っている。しかしそれらの多くは、モンゴの分布域の西側の人々に関するもので、東部のボンガンドなどに関する研究は、日本人によるものを除いて、多くはない。

（2）このあたりのいきさつは、木村（2003）の冒頭に書いたので参照してほしい。

烈な「アフリカの毒」にやられたと言えるだろう。三か月の滞在で、現地語のリンガラもある程度喋れるようになり、村にもなじむことができた。

そのあと一九八七年四月から一九八九年二月までの約二年間は、講談社の奨学金で調査ができることになった。生態人類学的な調査でオリジナルな仕事をやれる自信がなかったので、新しいテーマを見つけないといけなかったのだが、最初の一年はなかなかエンジンがかからず、「俺はここまで来て何をやっているんだ」などとフィールドノートに書き綴ったものである。しかし、一年が経ったころからいろいろな調査がいっせいに動きだした。のちに博士論文

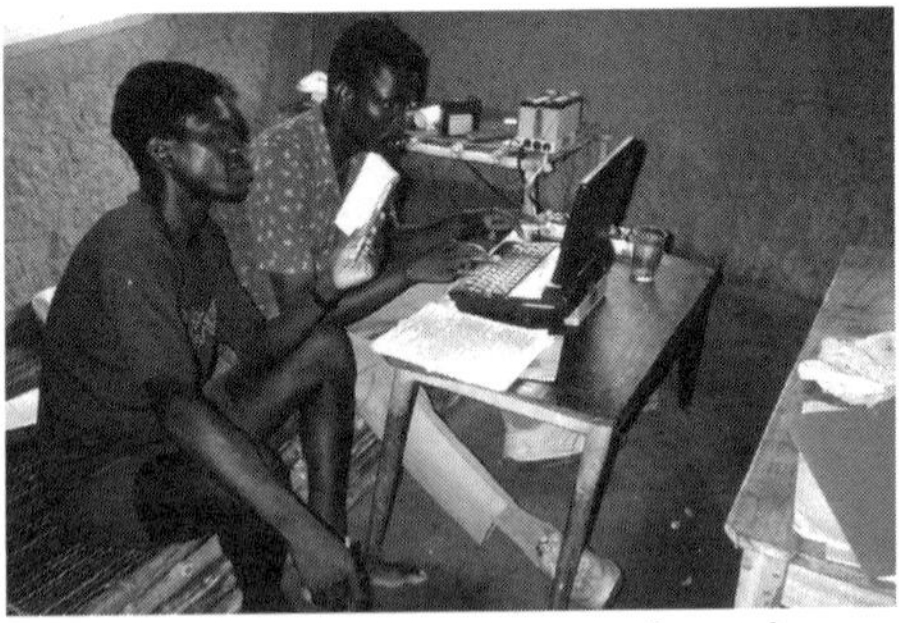
写真C1-2 木村の持ち込んだラップトップ・コンピュータにデータを入力するリンゴモ氏

にまとめたのは、ボンガンドの人たちが日常生活において、どこで、どんなことをして、誰と出会っているのかということを、タイム・サンプリングという手法で詳細に調べた研究（Kimura 1992）と、彼らの社会に特徴的な「相手を特定しない大声の発話」に関する研究（Kimura 1990）である（写真C1－2）。その後、植物利用の話、個人名の話、土地利用の話など、多様なテーマの論文をものにすることができた。

一九八九年にワンバ地域を去り、日本で博士論文を書き上げたあと、私はすぐにでも調査に戻るつもりだった。現地語であるロンガンドもある程度喋れるようになっていたし、

まだやりたい研究はたくさんあったからである。しかしその頃から、コンゴ（当時はザイール）の国内情勢が、きな臭くなってきた。三〇年近く続いてきたモブツ政権への不満から、一九九一年にキンシャサで暴動が発生した。一九九四年、ルワンダの大虐殺からの難民が東部ザイールに流入した。一九九六年にはローラン・カビラをリーダーとする反政府軍が東部から進撃を開始し、翌年モブツ政権は崩壊、国名はコンゴ民主共和国と改名されることになった。その後もウガンダ、ルワンダ、ジンバブエ、アンゴラなどの隣国を巻き込んだ政府と反政府勢力の戦闘状態は続き、二〇〇二年のプレトリア包括和平合意によってやっと収拾への道が開けた。本書の背景となる「コンゴ戦争」である。この戦争によって私を含めた日本人研究者は、まったくコンゴの地を踏めなくなってしまった。それまでコンゴには、人類学者、霊長類学者、魚類生態学者、土壌学者など多くの日本人研究者が調査に入っており、日本におけるアフリカ研究の中心のひとつと言ってよい場所だった。しかし、それらの研究者たちは、いわば「調査難民」として周辺諸国へと散っていったのである。ワンバ地域における調査も中断され、私も調査地をカメルーンに変えることになった。カメルーンでの狩猟採集民の研究もたいへん面白かったのだが、私はやはりコンゴに帰りたかった。何度も調査を再開する夢を見たが、そこで私は再びワンバにたどり着き、村人たちとリンガラ語で心ゆくまで語り合うのだった。

なんとか平和が戻ってきて、私が再びコンゴの地を踏んだのは、一六年後の二〇〇五年末のことである。キンシャサからジョルまでセスナで飛び、ジョルからボロボロのトラックに乗ってワンバ村を目指していると、一九八〇年代の調査で私に協力してくれていた、同い年のリンゴモ氏が現れた。彼は長い手を大きく振り回しながらトラックを止め、私を迎えてくれた。

村は戦争でどう変わったのだろうか。家に銃弾の跡などはなかったし、森を開いてキャッサバを作り、野生動物や魚を捕って生きていくという彼らの生活は、いっけんそれほど変わってないようにも見えた。しかし、しばらく滞在すると、いろいろな変化がわかってきた。ジョルの市場に行っても、売っている物が極端に少ないのである。そして、村人たちの要求が以前に増して厳しい。ジョルで村人たちの代表に二時間以上にわたって「お前たちは俺たちのために何をしてくれるんだ」とつるし上げを食らったのも、このときだった。

その理由はやがてわかってきた。一九八〇年代には、村の人々はコーヒーを生産し、それを買い付けに来たプランテーション会社に売ることで、かなりの現金収入を得ることができていた。そしてその金で、プランテーション会社のトラックが運んできたさまざまな商品を買うこともできた（写真C1－3）。トラックの終点の港町には鋼鉄船マスワが着岸し、キンシャサやバンダカといった大都市との物流が可能になっていたのである。しかし戦争中にトラックは運行しなくなり、道は悪くなり、橋は落ち、マスワも来なくなってしまった。要するに、物を売る手段も買う手段もなくなってしまったのである。

私はかろうじて市場に持って来られた衣服やら塩やらマッチやらの商品を見て、「これはどこから来たんだ」と聞いてみた。すると必ず「キサンガニ」とか「トポケ」[3]という

写真 C1－3　コーヒーを買い付けに来たトラック

答えが返ってきたのである。東方のキサンガニまでは、自動車道路をバイクで走っても三日とか四日かかる遠さだが（第1章参照）、彼らはそこまで森の中を歩いて行くというのだ。

彼らはいったいどんな旅をし、その先にはどんな世界が広がっているのだろうか。私はまだ見ぬキサンガニに思いを馳せ、一度森を越えてその地を訪れてみたいと思った。

二〇〇五年に調査を再開してから、私はほぼ毎年、ワンバ地域を訪れて調査を続けている。そのうち、誰か若い人類学者を連れてくる必要がある、と思うようになった。当時コンゴで調査をおこなっている日本人人類学者はおそらく私しかいなかったのだが、何とかこの地での研究を再起動しなければならない、と考えたのである。私の調査地（イヨンジ村のヤリサンガ集落）でも、キムラひとりではなく、ワンバ村のようにたくさんの調査者に入ってほしい、という要求が強まっていた。

(3) トポケはキサンガニの西方に住む民族集団である。

しかし、調査地の人たちは非常に押しの強い連中である。フィールド調査の経験のない学生をここに入れると、その過剰な要求にノイローゼになってしまうのではないか。そのような心配から、私は他国（とくにフランス語圏）で調査経験を積んだ若い研究者たちに声をかけることにした。

最初に来たのは、カメルーンで狩猟採集民の調査をしていた安岡宏和君である。彼は古市剛史さんの研究室で研究員に雇用され、二〇〇六年に、ワンバ基地の管理をしつつ人類学的調査をおこなった。しかし、すぐに他の大学に職を得たため、研究成果を残す余裕もなくコンゴを去った。次に二〇〇九年に私が連れてきたのが、カメルーンで農耕民の調査していた坂梨健太君である。その磊落な性格は村人たちに人気で、今でも「ケンタはどうしている」とよく聞かれるが、彼も別の仕事が忙しくなり、その後コンゴで調査することはなかった。

二〇一一年二月には、本書の編者、松浦直毅君がワンバ地域を訪れた。彼は達者なフランス語を駆使して、住民組織や地域開発の問題に取り組むことになった。同年の第二回目の調査には、これも本著の編者である山口亮太君を連れてくることになった。彼もコンゴの調査を気に入ってくれて（毒にやられた、と言うべきか）、こんにちまで調査を続けている。村の人たちとの関係もとてもよく、過剰な要求につい冷たくなってしまう私に比べ、いつも真摯に対応する姿には頭が下がる。二〇一三年には、三人目の編者、高村伸吾君がくわわった。彼はすでに長いコンゴ経験を持っていて、リンガラ語を流暢に喋ることができた。彼には村の中での細かい調査より広く歩き回る調査が合っているように思われたので、私は彼と一緒に、いよいよキサンガニに向けて旅立ってみることにした（コラム6参照）。この旅が、その後の彼の調査のきっかけとなっている。さらにその後も、ボノボと人間の関係を調査している横塚彩さん（コラム4）、ボンガンドの環境認知をテーマとする安本暁君（コラム2）が入ることになり、ワンバ地域は多様な人類学研究の場としてにぎわうことになった。

これらの若い研究者たち、とくに松浦、山口、高村の研究の特徴は、現地の人たちとの積極的なかかわりの中で、現地の状況を変えることを志向しつつ研究を進めるという態度だろう。一九八〇年代頃までの人類学は、現地の状況を「客観的」に記述することが良しとされ、人類学者の調査行為自体が影響を与えたような記述は避けられる傾向にあった。いわば人類学者は「透明人間」でなければならなかったのである。しかしその後の、「人類学の危機」と呼ばれる方法論の反省の時代を経て、透明人間であることは不可能で、むしろ積極的に現地に参与し、実践をおこなうことが推奨されるようになった。私自身はどうも古い考えが抜けきらないせいか、あるいは、これだけ大変な状況の中で自分ができることは「大河の一滴」にしか過ぎないという無力感があるからか、今まで積極的に、彼らのような実践をおこなおうという気持ちにはなれなかった。しかし本書に描かれているように、若い研究者たちは、ためらいなく現地の人々と話し合い、組織をつくり、交易活動を再起動させていこうとしている。そういった姿を見るにつけ、「不透明人間」たち、がんばってくれ、とエールを送りたくなってくるのである。

# 第2章 森に暮らす農耕民ボンガンド

山口亮太

## 三年ぶりのコンゴ

二〇一七年八月四日午前四時ころ、僕は三年ぶりにコンゴの玄関口であるンジリ空港に降り立った。コンゴは四度目になるが、飛行機の乗り継ぎトラブルで急遽経由地を変更したこともあり、気疲れもあっていつも以上にヘトヘトにくたびれていた。

思い返せば、コンゴはいつも一筋縄ではいかない。初めてこの地を踏んだ二〇一一年もそうだった。当時、僕はまだ大学院生で、カメルーンで妖術や宗教の調査をおこなっていたのだが、指導教員の木村大治先生（以下、いつも通り木村さんと呼ぶ）に誘われて、コンゴでも調査をすることになった。このときは、入国管理の職員がパスポートに入国スタンプを押さずに返してきて、初めてのコンゴに緊張していた僕は、うかつにもそれに気づかずに入国してしまった。調査地への中継地である地方都市に到着してそれに気がついたときにはすでに後の祭りで、行く先々でパスポートを確認されるたびに罰金を支払う羽目になってしまった。後日、日本大使館で聞いた話によると、わざと入国スタンプを押さないことによって、後からイチャモンをつけて罰金をとるという嫌がらせがよくあるらしい。調査から戻ったときに覚えたてのリンガラ語で空港職員たちと大げんかしたことは、今では良い思い出……ではなく、やっぱり今でも腹が立つ。

そんな思い出の中の様子とはちがい、リニューアルされた空港は、見ちがえるほど綺麗になっていた。入国管理の職員に「ンボテ！(*mbote!*)」とリンガラ語で挨拶すると、「何だ、話のわかるやつじゃないか」とばかりに表情が柔らかくなる。嫌な思い出も多々あるものの、コンゴの人々は基本的には気さくで親切なのだ。以前のように空港職員が公然と賄賂の要求をしてくる様子も今回はない。壁にでかでかと汚職追放キャンペーンのポスターが貼られているあたり、政府も本腰を入れて取り組んでいるのかもしれない。無事に入国審査を済ませて外に出ると、旧知の運転手が出迎えてくれた。彼の顔を見て、ようやく緊張の糸がほぐれた心地がした。久しぶりのコンゴはやはり遠い国であった。

## 森の道・空の道・河の道

キンシャサでは、日本大使館への挨拶や調査許可証の手配、調査の準備などを数日間でおこない、その後、目的地のワンバ地域へ向かう。キンシャサからワンバ地域までの移動ルートは三つある。ひとつは、第1章で松浦さんが旅した、東部の都市キサンガニを経由してバイクで入る「森の道」、

写真2−1　セスナと筆者

ふたつ目は、キンシャサからセスナ機をチャーターして飛ぶ「空の道」、そして三つ目が、赤道州の州都バンダカから船でコンゴ河とその支流のルオー川をさかのぼる「河の道」である。

「森の道」は、第1章の記述にあるように、修行僧のような忍耐力と肉体的な頑強さが求められるし、「空の道」は、最短でワンバまで到着できるが費用が大変高い（写真2－1）。では、「河の道」はどうか。たくさんの荷物を運べるメリットはあるものの、船の手配や行政手続きなどの手間が煩雑で、川を遡上する移動時間も長い。さらに、燃料代も馬鹿にならないため、普通は誰もやりたがらない。

しかし、あえて「河の道」を選ぶ物好きもいた。それが木村さんである。僕が初めて来た二〇一一年は、木村さんと「河の道」を通って村入りした。バンダカでレンタルした長さ約二〇メートルの丸木舟二艘をつなぎ合わせ、骨組みを組んでビニールシートをかぶせて即席の屋形船とした。ワンバ村の病院建設のためのセメントやトタンなどの大量の資材、鉄製の自転車数台などにくわえて、ドラム缶一〇本分、実に二〇〇〇リットルもの燃料が船体後部に山積みになっていた。船員をあわせて一〇名が乗り込み、意気揚々と出港したわれわれであったが、二～三日もすると、絶景ではあるが代わり映えしない風景、遅々として進まない船足、寄港するたびに発生するお役人との一悶着、落ち着かないトイレ事情

（川に向けて放つのだからお祭しである）などにより、徐々に疲弊していった。やることがないため同乗者同士の会話ばかりが弾むが、数日経てばそれもやり尽くして、それぞれが持ってきた本を黙々と回し読みするだけになった。このときほど、重たいのに無理をして文庫本を持ってきてよかったと思ったときはなかった。川岸に漁労キャンプが点在しているため、新鮮な魚には事欠かず、食事には恵まれていたのがさいわいだった（写真２−２）。道中の少し大きめの町で寄港し、市場の調査などをおこなったときには、久しぶりの陸地を堪能することで気晴らしにもなった。

ちなみに、船足が遅かったのには理由があった。なんと、船体後部の山積みの荷物の向こう側に、九名もの「密航者」が身を潜めていたのである。船員が小遣い稼ぎのためにわれわれには無断での

写真２−２ 2011年の船旅。通りかかった舟から魚やヤシ酒を買う

せた客であった。しかも密航者たちは、それぞれに大量の荷物を積み込んでいたのである。そのせいで優に一トンは余計に重量が増加したために船足が遅くなったのだ。当初は七日で着く予定が、結局一二日間もかかってしまった。倍近くである。木村さんがかねてから提唱する、「コンゴの日数二倍の法則」が、いみじくも実証されたわけである。なお、帰路はセスナでバンダカまで帰ったが、船で二週間近くかけた行程がほんの数時間であった。

このように「河の道」は、あまりにも時間も手間もコストもかかりすぎてしまうのだが、あえてそれを選ぶ物好きがもうひとりいた。松浦さんである。もちろん、単なる移動手段として選んだわけではなく、調査と支援という具体的な必要性があってのことである……のだが、やっぱり一度は船旅をやってみたかったのではないかと思う。

ところで、もうお気づきかもしれないが、今回の水上輸送プロジェクトに参加する三人の中では僕が唯一の船旅経験者だった。そして、今回の船旅が無事に成功すれば、僕は上りと下りを両方経験した希有な日本人ということになる。論理的に考えて、真の物好きとは僕のためにある言葉である。ちなみに、もうひとりの参加者タカムラは、河川交易商人を調査しているため、船の移動は日常茶飯事で、乗客がすし詰めになった大型の客船、手こぎの舟や手押しの舟（長い棒で川底を突き、舟を押して前に進む）なども経験済み、しかもみずからこぎ手もやるというのだから、物好きどころの騒ぎではない。僕にはとてもまねできない。

## セスナで調査地へひとっ飛び

八月七日、早朝六時ころにホテルをチェックアウトして空港に向かう。今回は、「空の道」でワンバ地域に向かう。空港には、目的地であるジョルの出身者や、あちらに親戚がいる者たちが大勢集まってきていた。われわれの移動に便乗して荷物を運んでもらおうというのだ。コンゴの内陸部には郵便配達のようなシステムは存在しないため、積荷に余裕があれば、そういった個人宛の荷物も運んであげている。以前には車の窓ガラスを運んだこともあった。逆も同様で、ジョルからキンシャサへの荷物を託されることもある。大抵は、キンシャサに住む親戚への旬の食材のお土産である。荷物だけでなく、病人や行政関係者などを同乗させることもある。席が限られているため、誰が乗るかで確実に揉めるのは頭痛のタネだが、しかたがない。移動の段階から、調査地の人々との関係はすでに始まっているのだ。

写真２－３　地平線の彼方まで続く森

ジョルに到着したのは、ちょうど昼ころであった。眼下に雄大なコンゴ盆地の大森林を見おろしながらの空の旅は、快適ではあるものの退屈で、うっかり寝入ってしまって起きたときにはすでに着陸態勢に入っていた（写真２－３）。初めてセスナに乗ったときには、興奮してとても眠る気にはならなかったが、慣れとは恐ろしいものである。ジョルの空港は、町外れの森の一角を伐開して整備したもので、パッと見た感じではサッカー場のようにも見える。上空から見ると、緑の海の中にわずかに切れ込みが入ったくらいで見逃してしまいそうだが、もちろんパイロットは正確にそこにめがけて降下していく。

空港では、ワンバ村から迎えに来てくれたバイク隊や調査関係者たちが出迎えてくれた（写真２－４）。三年ぶりの再会だが、みんな変わらず元気そうであった。「ヤマグチはついに結婚し

写真2-4 ジョルの空港

たそうだね！」と声をかけてくる人もいる。先発の松浦さんから聞いたのだろう。「子どもも生まれたで！」と返すと、「おめでとう！ お祝いをしないとね！」と盛り上がる。ああ、ついにフィールドに帰ってきた、と柄にもなく感激してしまった。

なお、あとで知ったことだが、出産のお祝いは、彼らが僕にしてくれるのではなく、僕が彼らに対しておこなうことであった。彼らによると、子どもが生まれた祝いで僕が日本でごちそうをしこたま食べたのに、彼らはそのご相伴にあずかっていないから、ということであった。何だか釈然としないが、そういうものなのだろう。今回の調査では、行く先々で僕の子どもの誕生祝いに酒を飲ませろと言われることになるのだが、それはまた別の話である。この日は、空港で待ち構えていた役人に連れていかれてオフィスで登録をおこなった後に宿に向かい、ジョルで休息をとった。

八月八日、朝に市場で買い出しをして、昼前にワンバ村へ向けて出発した。およそ八〇キロメートルのバイク旅であるが、バイクの故障が相次ぎ、結局、ワンバ基地に到着したのは日もとっぷりと暮れた二〇時ころであった。出迎えてくれた松浦さんは、すでに真っ黒に日焼けしていた。これから、ようやく一か月あまりの調査生活が始まる。水浴びをして食事をとった後、別棟にテントを張って泥のように眠った。

## 農耕民ボンガンド

ここで、われわれの調査対象であり、本書の主人公でもあるボンガンドという人々について紹介しよう。ボンガンドは、バントゥー系に分類される農耕民で、正確な人口統計は存在しないが、コンゴ国内に四五万人から五〇万人いると推定される（Kimura 1992）。ボンガンドは、旧赤道州の主要な民族であるモンゴに連なるとされており、両者には言語や神話・伝承などの文化的な側面で多くの共通した要素がある（加納 1996）。

僕は、ワンバ村のとなり、木村さんが一九八〇年代から調査をしているイヨンジ村のヤリサンガという集落で、今回までに四回、合計五か月ほどボンガンドの調査をおこなってきた。研究テーマのひとつは、戦後の村落部における動物性タンパク質獲得についてで、食物獲得状況の量的な把握に努めた。こう書くとずいぶんお堅く聞こえるが、要するに秤《はかり》を持って、住民たちが畑や森、川から持ち帰る食料を片っ端から計量して記録するという、きわめて地味な調査である。しかし、衣食住が生活の基本とされるように、「食」から調査を始めたことによって、ボンガンド社会の基本的な部分を押さえることができた。

## 自然環境と生業

この地域には乾季と雨季があり、一二～三月ころまでが一番雨が少なく、九～一一月が一番雨が多い。気温は、年間を通じて二〇～三〇度で、実は日本の夏よりもよっぽど過ごしやすい。毎年、乾季に森を切り開いて火を入れ、畑をつくる。いわゆる焼畑農耕である。熱帯雨林は乾季であっても湿度が高いため燃え残る木も多いが、それらはそのまま放置され、料理のための薪として少しずつ利用される。木を切って火を入れるまでは男性の仕事で、作物を植え付け、収穫をおこなうのは女性の仕事である（写真2－5、2－6）。主な作物はキャッサバで、これが彼らの重要な主食となっている。

彼らの朝は早い。午前六時ころには、女性は畑仕事へ、男性は集落周辺の森での狩猟や漁労へと

写真2－5　火入れの様子

写真2−6　作物を植えに来た女性たち

向かう。町から遠く離れており、スーパーはおろか、八百屋も肉屋も魚屋もないこの地域では、必要な食料は自分たちで調達しなければならないのである。日が高くなると暑くなるため、それまでに仕事を終わらせる必要もある。昼以降は自宅でゆっくりしたり、誰かの家に集まって談笑したりして過ごすことが多い。

狩猟活動の中心は、はね罠猟である。細い木とナイロンの糸などを組み合わせて作った罠を仕掛け、首や脚を引っかけて動物をつかまえる（写真2−7）。戦前の一九八〇年代ころまでは、何十メートルもある網を張り巡らせてそこに動物を追い込むネットハンティングもおこなわれていたそうだが、現在ではおこなわれなくなってしまった。漁労は、網を設置する者が多いが、中には大きな筌《うけ》を用いる者もいる（写真2−8）。網を仕掛けている者は、夜が明けるとすぐに丸木舟に乗って見回りに向かう。多い場合は何十か所も仕掛けてあるため、昼ころまでかかることもある。子どもや若者は、釣りもおこなう。川での行水のついでにサッサッと釣って、その日のおかずにする。餌なしで、水中を泳ぐ魚を目で見て引っかけるのだから、すばらしい動体視力と反射神経である。

採集も重要な活動である。森は、利用可能な資源の宝庫である。野草、果実、キノコ類、シソのような酸味のある木の若芽クンボクンボ、ニンニクのような匂いのするボフィリの樹皮。これらは、毎日の食卓に欠かすことができないものだ。また、毎年七～九月ころに大量に発生する鱗翅《りんし》目の幼虫、つまりイモムシは、待ち遠しい旬の味というだけでなく、貴重な現金収入源でもある（写真2－9）。イモムシと聞くと眉をひそめる人がいるかもしれないが、われわれが冬のカニのシーズン

写真2-7　首をひっかけるタイプのはね罠「ボンブカ」

写真2-8　網で捕れた魚

を楽しみにしているようなものといえば、少しは気持ちがわかるだろうか。とにかく、イモムシの時期になると、人々はこぞって森に入ってイモムシ採集にいそしむ。

以上のようにボンガンドは、農耕に軸足を置いているものの、狩猟や漁労、採集など、多様な活動を複合的に営んでいる。要するに、利用できるものは何でも利用し、食べられるものは何でも食べるというのが彼らの特徴である。もうひとつの特徴は、村と森を行き来する「二重生活」をおこなっている点である。集落から離れた森の中に多くのキャンプ地があり、村人たちは一年のうちの二〜三か月程度はそこで生活する。森のキャンプでは、狩猟・漁労・採集に比重を置いた生活が営まれるが、キャンプ生活の詳細については後の章で紹介することにしよう。

写真2−9　食用のイモムシ「ビンジョ」

## ボンガンドの言語と人づきあい

ボンガンドが話す言葉はロンガンドといい、日常生活で用いられる。その他に、コンゴの公用語のひとつであるリンガラ語も母語同然に話す。小中学校で教わるため、フランス語を理解できる人も少なくないが、本格的な会話ができるのは高等学校以上に通ったことのある人などである。僕は、はじめはカメルーンで覚えたフランス語で調査をおこなっていたが、途中から徐々にリンガラ語に切り替えていった。僕が住んでいたキムラ邸（木村さんが調査用に建てた家を僕は密かにこう呼んでいた）にはひっきりなしに人が訪ねてきたため、リンガラ語を実践的に学ぶ機会には事欠かなかった。

彼らは、新参者である僕のことを知りたいらしく、親は生きているか、兄弟はいるのか、結婚しているのか、日本ではどんな家に住んでいるのか、タバコはないか、酒はないのか、服をくれないか、靴下を…（以下略）などなど、つぎつぎに質問や要求を投げかけてきた。起きて家の扉を開けた瞬間から夜に扉を閉めて寝室に入るまでこれが続くのである。この距離の近さというか、こちらの都合を斟酌しない「押しの強さ」は、カメルーンでは経験したことがなかったので、はじめは面食らった。なにせ、病気で寝込んでいるときでさえ、「ちょっと起きて顔を見せろ」という具合で、放っておいてくれないのだ。力を振り絞って起きてみても、彼らは「体調が悪いのか」「かわいそうに」「かわいそうに」と言うばかりで、それだったら寝かせておいてよと朦朧《もうろう》としながら思ったものである。

ただし、後でわかったのは、こうしてひっきりなしに人々がやってくるのは、興味半分ではあるものの、彼ら流の気づかいでもあるということである。そのことに思いいたったのは、珍しく村の中で僕が独りぼっちになったときであった。となり村の病院で人が亡くなり、集落のほぼ全員が出かけてしまったためである。僕は、つかの間に訪れた静寂を利用してフィールドノートの整理をしようとしたのだが、半時間もしないうちに、向かいの家から数名の男たちが酒瓶を片手に歩いてくるではないか。彼らは小学校の教師たちだが、別の集落出身なので病院には行かずに昼間からチビチビと酒を飲んでいたらしい（写真2－10）。正直なことをいうと、彼らが向かってくるのを見て、いい加減にしてくれよ……と思った。しかし、家に入ってくるなり、彼らは挨拶もそこそこに「こんなところで独りぼっちでいったい何をしているんだい？　独りで静かにしているのはよくないよ！」といい放ち、卓について僕に酒を勧めてくれた。コップに注がれた酒を飲みながら、彼らの対人関係の距離感が身にしみてわかった気がした。この一件から、僕は相変わらずひっきりなしにやってくる訪問客を邪険に扱えなくなってしまった。

## 入れ子状の社会構造

ボンガンド社会は、男性親族のつながりが強く、基本的に男性は生まれた土地を生涯離れず、婚姻に際しては女性が夫の元へ移動する（人類学の専門用語では「父系夫型居住」という）。男性は、二〇歳前後になると両親の住む母屋から一〇メートルほど離れたところに自分の家を建てて生活し、やがて他の集落から妻をめとる。そのため、代々の父系親族たちはひとつの区画にまとまって居住することになる。

写真2–10 先生たちの飲み会

この父系親族のまとまりはロンガンドでロソンボ（*losombo*）と呼ばれ、ボンガンドの社会生活の基本単位となっている。

ボンガンドの集落は、ロソンボがいくつか集まって形成されている。同じ集落の人々は、系譜関係をたどることができる共通の祖先を持っており、広い意味で親戚同士だと意識されている。これにはボンガンド固有の呼び名はなく、行政単位である「ローカリテ」と呼ばれており、ヤリサンガもローカリテに該当する。そして、ローカリテがいくつか集まって、「グループマン」という行政単位をなしている。ワンバ村やイヨンジ村は、このレベルに相当する。伝承によれば、同じグループマンに属するローカリテの始祖のあいだには、何らかの血縁関係や姻戚関係があったという。

このように、ボンガンド社会は父系親族のまとまりであるロソンボを中心とした入れ子状の構造になっている。入れ子の中心にゆくに従って結束力が強くなるわけだが、このことがグループマンやローカリテをまたいだ協力を難しくしている側面もある。何かの作業をおこなう場合、協力するのは、複数のグループマン間よりはひとつのグループマン内部、複数のローカリテ間よりはひとつのローカリテ内部、複数のロソンボ間よりはひとつのロソンボ内部……というように、結局は入れ子構造の中心へと引き寄せられてしまうのだ。今回の水上輸送プロジェクトで最も気を遣ったのも、この入れ子構造に引き寄せられないように、慎重に利害の調整をおこなうことだった。

## ボンガンドの婚姻

父系親族集団をボンガンド社会の縦糸とするならば、横糸となるのが婚姻関係である。現在ではボンガンドのあいだでも自由恋愛が楽しまれており、親の決めた許嫁というものはない。学校で出会った相手に一目惚れして卒業後に結婚したという、ほほえましいエピソードを耳にしたこともある。ただし、婚姻の相手は、異なるローカリテからしか選ばれない。広い意味で親戚である同じローカリテのメンバーは、恋愛の対象にはならないからである。ローカリテが「外婚の単位」となっているのである。

婚姻に際しては、夫側と妻側で話し合いがもたれ、妻側に渡すべき贈り物（「婚資」という）の量や額が決められる。婚資には、婚資にしか用いられないもの（装飾性が高く実用性がないヤリやナイフ）と、漁網やミシン、布、アイロン、山刀、スコップなどの日用品全般、そして現金がある。これらを妻側に渡すことで婚姻が成立する。ところが、これで一安心というわけにはいかない。世界じゅうどこでもそうかもしれないが、本当に大変なことは結婚後に控えているのだ。ボンガンド男性は、婚姻関係を維持し続けるかぎり、妻方の男性親族たちの要求に応え続ける義務がある。原理的には、いつ何時でも、人間と不動産以外のものは何でも婚資として要求されうる（黒田 1993）。その要求に応える様子がないと、妻が「私のことを愛していないのか」と怒って、実家に帰ってしまう。こうならないために、男性はなんとかして要求されたものを工面しようとあちこち駆け回る。

この過程では、自分が要求されたものの一部を、自分の姉妹の嫁ぎ先に「婚資」として要求することもある。こうして婚資の要求が連鎖的に拡大するのである。

これでは妻側が有利すぎると思われるかもしれない。しかし、もし離婚してしまえば、それまでに受け取った婚資は返却しなければならない。死別という形で婚姻関係が終了した場合も、婚資が返却される。このため、離婚であれ死別であれ、いつかは婚資を夫側に返済する日がくること、その日までは婚姻関係が続いて欲しいと普通は考えられていることから、妻側が一方的に過大な要求を突きつけることは抑制されている（黒田 1993）。

医療費や学費、裁判の費用なども婚資として要求できることから、婚資は合理的なリスク分散システムという側面も持つ。困ったことがあれば、とりあえず婚資の要求のネットワークに投げてしまえばいいのだ。個人では解決できない問題でも、数名で分担すれば解決できるかもしれない。こうしてボンガンド社会では、モノもカネも一所にとどまらず、つねに流動することになる。婚姻と婚資は、ボンガンドの社会を動かす原動力なのである。

## ボンガンド社会の特徴

ここまで概観してきたように、ボンガンドの生活は森林環境への依存度が高い。このことは、森へのダメージはボンガンドの生活に直接的な影響を与えることを含意する。つまり、いかに森林環境を損なうことなく、持続的にそこから得られる資源を利用することができるかが大事な課題になるのである。

社会生活という面では、ロソンボの結束と婚資要求のネットワークの存在が重要である。それらが、ボンガンド社会において突出した金持ちや権力者（あるいはその逆の貧しい者）を生み出さない「平準化装置」の役割を果たしている。ところが、このふたつの要素が、ボンガンドへの支援を難しくしている面もある。ロソンボを超えた協働を求めても、ロソンボ間の足の引っ張り合いに終始してしまうことが多い。また、何らかの援助があっても、その利益はいつの間にか婚資のネットワークの流れに乗って、砂に吸い込まれるように消えてしまう。水上輸送プロジェクトを実施するにあたっては、これらの社会的特徴に必ず注意しなければならなかった。

コラム 2

# 日常会話からみるボンガンドの社会

安本 暁

午前六時前、きしむラフィアヤシ製ベッドの上で目を覚ます。まだ眠いと横たわりまどろんでいると、台所の方からコーヒー豆を煎る香りが漂ってくる。続いて、煎った豆を臼《うす》と杵《きね》で挽く鈍い音がゴッコツコツと吃《ども》った調子で響いてくる。ややあって声が増える。となりの部屋で身を寄せあう家族のひそひそ声に始まり、川へ水を汲みに向かう女たちの交わす挨拶、庭を箒で掃く男の大きな独り言までさまざまある。三畳間ほどの窮屈な部屋は、土壁で音の通りがよい。四方からいくつもの会話が重なりあって、なんだか活気ある市場の一区画に横たえられているような気分になる。女たちのやかましい会話にようやく体が起きあがる（写真C2－1）。

写真 C2－1 おしゃべりしながら作業する女たち

あまりにも平凡な毎朝の繰り返しにときどき忘れてしまうのだが、僕はアフリカ大陸のど真ん中、コンゴ盆地の最奥、ワンバ村で人類学の調査をしている学生なのであった。歴史ある調査地であるここで二〇一七年から調査を開始し、ボンガンドの環境認識をテーマに、人々の森での活動の中で起こるやりとりを録音・録画し翻訳するという方法で、これまで研究を続けてきた。

このコラムでは、ボンガンドの現地語・ロンガンドの会話に耳を傾け、彼／彼女らの日常生活の一端を覗いてみようと思う[1]。本書で展開されている勇猛な男たちの船旅、非日常の冒険譚とは対照的に、村にはなんてことのない日常がゆるやかに流れている。

写真 C2－2　森を歩きながら会話する男たち

さきほどまで森の中で仕事をしていた男ふたり、ジャン[2]とジョゼフが、地面に腰を下ろしなにやら話し始めた（写真C2－2）。

（1）本稿で扱う会話は、事前に会話の参加者に許可を得て、二〇一八年八月にビデオカメラで収録したものである。ロンガンドの文字起こしおよび翻訳の作業は、現地アシスタントの協力のもとでおこない、まずロンガンドからコンゴの共通語であるリンガラへ翻訳したのち、さらに日本語へと再翻訳した。また寄稿するにあたって、便宜的に一部文章の省略や順序の入れ替えなど、全体の再構成をおこなった。

（2）登場人物はすべて仮名である。

どうやら彼らは、デニという男性とアンネという女性の間柄についての噂話に興じているようだ。

ジャン（以下、JN）「いま、デニとアンネのあいだの問題が盛り上がっているだろ？」

ジョゼフ（以下、JP）「それはどこのデニのことだ？」

JN「イランガのところのデニだよ。おれはデニに何度か問いかけたんだ。『アンドレはあんたの従妹のヴィクトリアと結婚したんだよな。その後、あんたは別の人と結婚して、今またさらにアンドレの従妹のアンネと結婚しようとしている。どういうつもりなんだい？』と」

アンドレはデニのとなりの集落に住む男性で、数年前にデニの従妹であるヴィクトリアと結婚した（図C2―1の①）。一方、デニはアグネスという女性と結婚し（図C2―1の②）、さらにアンドレの従妹であるアンネをふたりめの妻として迎えようとしている（図C2―1の③）。どうやらこのデニとアンネの間柄が不適切であると、村で問題になっているらしい。ひとりの男性がふたり以上の妻をめとることは、ボンガンドではさして珍しいことではない。それではここでは何が問題になっているのか、話を少し進めてみる。

JP「デニとアンネの関係がうまくいかないことは、彼らが結婚する前からわかりきっていることなんだ。デニが前に結婚したあの子（アグネス）は、マタディディ家の子。つまりあの子はアンネと血がつながっているんだ」

図C2－1　ロソンボ間の女性と婚資の移動

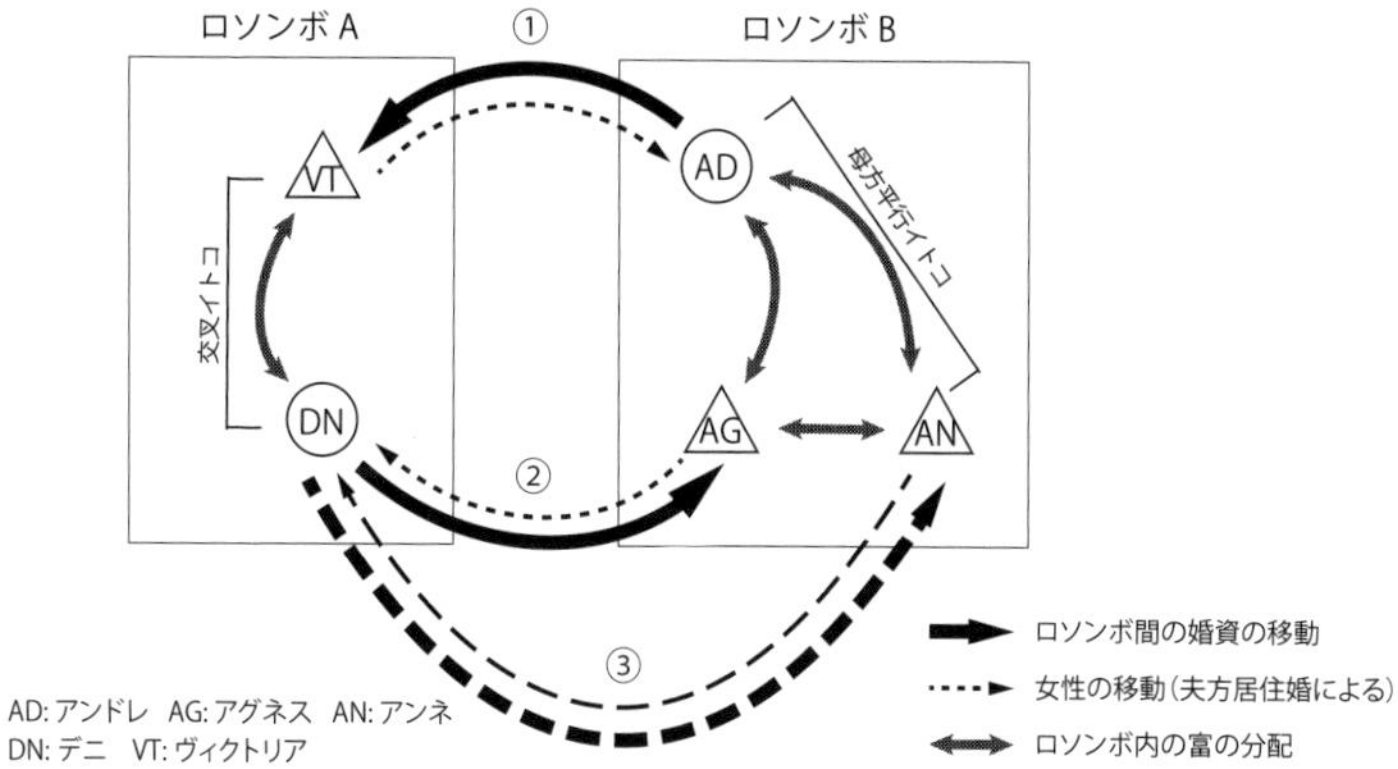


JN「彼女（アンネ）はそれに気づいてないんだよね。彼女はアグネスが自分の親戚なのか何なのかわかってない」

デニの第一夫人であるアグネスと第二夫人候補であるアンネは、同じ父系親族集団（ロソンボ）に属するいわば親戚同士である。これがどうもよくないらしい。ボンガンドの婚姻では、同じロソンボ内からふたり以上の女性をめとってはいけないという制約はない。しかしながら、第一夫人と同じロソンボ内から第二夫人が選ばれることに対して、第一夫人はあまりいい顔をしないだろうという感覚が、人々のあいだでは共有されているのだと、ある村人は語る。この会話からは、デニとアンネの関係性は、感情的な側面から周囲の非難を受けているように読み取れる。しかし、問題は単なる男女の感情的な側面のみには留まらないようだ。少し間を置き、ジョゼフがまた話し始める。

JP「デニたちとアンドレたちはまるで遊んでいるみたいだ。アンドレたちとデニたちはボールを蹴っているようだ。おれたちがサッカーするみたいに」

　この比喩を理解するには、前章で述べられたボンガンド社会という網の目の横糸である婚姻と婚資について思い出す必要がある。ボンガンド社会では、婚姻関係がいったん結ばれると妻方親族は夫方親族に対していつ何時でも婚資を要求できる。この婚資の流動的な移動が広範囲にネットワークをつくり、経済的なリスクを分散するシステムになっているということだった。これを踏まえて今回の件を見てみる（図C2－1参照）。

　まず、アンドレがデニの親族であるヴィクトリアと結婚したことで、デニはアンドレにとって妻方親族となった。デニは婚資のネットワークに組み込まれ、アンドレに対して婚資を要求できるようになる。続いて、デニがアンドレの親族であるアンネと結婚するとどうなるだろう。今度は、アンドレがデニにとっての妻方親族ということになり、それまでと逆にアンドレがデニに対して婚資を要求できるようになる。これにより、婚資は両親族のあいだという閉じた円環のなかをぐるぐると巡ってしまい、ネットワークの拡大は打ち切られてしまう。ジョゼフは、この婚資の循環をふたつのチームのあいだをボールが行き交うサッカーになぞらえたのである。このボール遊びという比喩は、レヴィ＝ストロースが結婚を「女性の交換」と捉えたことを思い起こさせる（レヴィ＝ストロース 2000）。彼の議論では、ふたつの集団間で女性の相互移動がある場合を「限定交換」と呼び、二集団の関係は強固となるが、そこに閉鎖性が生じてくるとされる。一方、三つ以上の集団間で一方向的な女性の移動がある場合を「一般交換」と呼び、より広範な社会の統合に寄与するものと位置づけられる。この議論に従えば、ボンガンド社会では一般交換が基本であり、デニらの結婚が限定交換であるため周囲の非難を浴びているということになる。

じつは、デニが第一夫人であるアグネスと結婚したときに、すでに同様の問題が発生していた。先に述べたように、アグネスもアンドレの親族であるからである。その時には、デニがアグネスの父親へ賠償金を支払うことで、なんとか結婚が認められた。それにもかかわらず、デニはふたたび推奨されない関係を繰り返そうとしている。デニとアンドレの親族間サッカーは、あやうく第二試合に入ろうとしているというわけである。

JP「おれはおまえ（デニ）とあの女（アンネ）を呼びつけてきっぱりと伝えるよ」

JN「このふたりのことは大きな問題になってる」

JP「村のみんなが、村の価値を欠くような無駄な関係だと思ってるよ。それで村の女たちはアンネを非難し始めたんだ。彼女らはアンネが村の価値を損なったと思っている。おれはあいつらを非難するよ。おれは動物ではなく（理性ある）人だから、おれの目の前でおまえがそう（アンネと結婚）するのなら、おれはおまえを非難しなきゃいけない。おまえはアンネの親戚であるおれに対しても価値がないと思ってるってことだから。それでもおまえは彼女と結婚しようとするのか？」

前章で述べられているように、ボンガンド社会には父系集団（ロソンボ）のまとまりを中心とした入れ子状の構造があり、あらゆる問題がより結束力の強い入れ子の中心に引き寄せられている。一方ここでは、男女のあいだの不適切な関係が、親族間の問題のみに回収されず、村の価値にかかわる問題へと、中心から外側へと拡散していくことが見てとれる。さらにややこしいことに、じつはジョゼフはアンネの叔父でもある。彼はまさに婚姻のネットワークの当事者のひとりとして、自分の価値にもかかわる問題なのだと力説する。熱が入ったのか、まるで目の前にデニがいるかのように二人称を用いて非難している。

ＪＮ「こんな状況ではデニは恥を感じるはずだ」

ＪＰ「普通はこんな不適切な関係にあったら、人は恥を感じるもんだ。恥がないのなら、おまえ（デニ）はおれに価値があるとは思ってないってことになる。実際これまで、価値がないと思ってきたのだろうよ。アンネもいったい何を考えてるんだ？　それにおまえが結婚したこの妻、アグネスについて、おまえは彼女の価値をどう捉えているんだ。そのようなおこないはデニ自身の価値をも貶めることだよ」

ジョゼフは憤りながらも、最後はややあきれ気味に話を締めくくった。

ひとつの会話の断片を切り取ることで、婚姻関係を中心としたボンガンド社会のさまざまな側面が見えてきたように思う。男女間の感情的な問題から婚資の移動に関する価値の問題まで、ボンガンド社会の規範はグラデーション状に異なる強度を持ち、重なり合って分布している。そして規範は永遠不変のものではなく、デニやアンネのようにそれに抵触するものの存在や時代の移り変わりとともに、少しずつ変化していくものである。最も強固に思える外婚の単位に関する決まりでさえ、一定不変のものではないようだ。おそらく人口の増大やロソンボの分裂など要因はさまざまであろうが、ある村人の話では、ワンバ村内にある六つの集落のうち、もはやひとつでしか外婚の掟の遵守はなされていないという。

ここまで、日常会話の分析を呼び水に、ボンガンドの社会関係が静的・固定的なものではなく、規範と実践のずれをともないながら現在も進行しつつある動的な過程と捉えることが可能になった。また、このように捉えることにより、ワンバ地域を訪れたことのない読者にとっても、ボンガンドの日常は単に自分たちとは見かけの環境がまるきり異なる遠国の出来事なのではなく、同時代を共有する人々の生として、より身近なものに映り始めたのではないだろうか。

森から村へ戻ると日はすでに傾きかけ、夕食の支度をする茅葺き屋根の隙間からは細く煙が立ち昇る。キャッサバを搗《つ》く杵の響きにみずからの歩みを重ねてみる。道ですれちがう老婆の衣服からは煙に燻された仕事のにおいがする。帰宅すると下宿先の主人が水浴びをするかと迎えてくれる。夕食を待つあいだと食べ終わったあと、だいたい僕は何をするわけでもなく、下宿先の庭に出した低椅子にもたれてぼんやりと人々の往来を眺め、会話に耳を澄ます。今日も一日なにも起きなくてよかった。皮膚に感じる夕方の平熱に安堵する。

電気の通っていない村ではあるが、日が沈み夜が深まっても、案外に人々の活動は終わらない。月の明るい夜には子供たちが歌い踊りだす。僕は一足先に寝床に就くが、外は昼間よりも騒がしいくらいだ。遠慮やプライバシー、自他のはっきりした境界という感覚がわれわれよりも薄いのだろうと感じる。ようやく満足したのだろうか、お喋りの声がだんだんと消えていく。遠くかすかに響くリンガラミュージックの単調無限の反復と、森に震う虫のさざめきが溶け合うのを耳にしながら、いつもどおりの一日のいつもどおりの眠りにつく。

# 第3章　境界を越える

高村伸吾

## コンゴとの出会い

誰かに世界で最も魅力的な場所はどこかと問われれば、すかさずコンゴと答えるだろう。初渡航から数えてはや一〇年、当初の鮮烈な印象はかげることなく、僕はこの国に足を運び続けている。素直な心境を言えば、これほどきつい場所になぜ心惹かれるのか、自分でもよくわからなくなることがある。

この国と縁を持つようになったのは、まったくの偶然だった。アフリカは自分とかかわりのない異世界で、コンゴがアフリカのどこにあるのかすらわからなかった。かろうじて知っていたのは、戦争が絶えない世界最貧国のひとつということくらいだ。そんな僕に転機が訪れたのは、二〇〇九年六月だった。当時、首都キンシャサで小学校建設プロジェクトを推進していた慶應義塾大学湘南藤沢キャンパス（ＳＦＣ）の長谷部葉子先生から、「シンゴさん、コンゴにいってみませんか」という提案を受けたのだ。いささか逡巡したものの、ひょっとしたら何か面白いものが見られるのではと考えた僕は、研究室が実施する八月のフィールドワークに同行することになった。

まともな外国経験のなかった自分にとって初めてのコンゴ渡航は、衝撃的だった。まず驚いたのは、キンシャサ・ンジリ国際空港の荒れ果てた姿だ。経由した南アフリカのヨハネスブルグとは比ぶべくもなく、電気や水道さえまともに機能していなかった。トイレに行って用を足そうにも水が流れず、手も洗えない。空港から出ると、まずムッとするような湿り気をおびた熱気と砂埃に包まれ、汗と生ゴミを混ぜあわせたようなすえた臭いにあてられる。日銭を稼ごうとする荷運びの群れをかき分けながら進むと、そこかしこを闊歩する軍人たちの姿が目についた。たすき掛けされたロシア製のAK－47、アメリカ製のM4、イスラエル製のUZIサブマシンガンなど、さながら銃火器の見本市のようだ。映画でしか見たことのない光景が目の前に広がっていた。

二週間のフィールドワークを終えた感想は、「もうこの国に来ることはあるまい」というものだった。見たことのない世界をのぞけたのだから、もう十分だという思いが強かった。電気も水道も整っておらず、安全すらままならないこの土地をなぜ再訪する必要があるのか。夜間外出はもちろん、昼間の移動にすら緊張感がともなう街の治安にも嫌気がさしていた。そうした思いとは裏腹に、その二年後の二〇一一年五月、僕はふたたびコンゴに足を踏み入れることになる。前述の小学校建設プロジェクトがコンゴ政府の評価を受け、キンシャサの国立教員大学（Institut Supérieur Pédagogique：ISP）から日本語クラス開設の要請を受けたためだ。多少の不安はあったけれど、第二言語習得論で修士課程を終えたばかりの自分にとって実際の教育現場に携わることは大きな経験になると考え、現地で二年間、プロジェクトの立ち上げと日本語教育に取り組むこととなった。

キンシャサでの二年間を通じて、日本で培ってきた自分のあり方は根本から覆された。二〇一一年一二月の大統領選挙を境に状況はずいぶん落ち着いたけれど、滞在当初は治安がまったく安定しておらず、控えめにいっても街は殺気立っていた。油断をしていると、路上をたむろする「シェゲ」と呼ばれるストリートギャングに取り囲まれたり、汚職警官にいわれない賄賂を要求されたりと数々のアクシデントに巻き込まれた。いかにトラブルを避けるかをつねに考え、「神経過敏なのでは？」と自問するほど街の雰囲気に意識を張り巡らす。いつのまにか周囲一〇〇メートルの気配を察しながら歩くことが僕の習慣になっていた。けれど、そんな日常と格闘するうちにそれまでわからなかった人々のこころの機微も少しずつ理解することができるようになった。

コンゴの人々はアフリカの中でもとりわけ優しい――。印象に残っているコンゴ人学生の言葉だ。はじめはこの言葉を素直に飲み込むことができなかったが、日々を重ねるうち、人々のおりなす濃密な人間関係や複雑に張り巡らされた互助のネットワークを目のあたりにし、コンゴの人々は僕らとはまったくちがう世界に住んでいることがわかってきた。そして、彼らの視点ではいったい世界がどう見えているのか、関心を持つようになったのである。ちょうどそんなころに出会ったのが、木村大治先生（以下、いつも通りダイジさん）の『共在感覚――アフリカの二つの社会における言語的相互行為から』（木村 2003）という本だった。僕が現地生活で感じたコンゴの人々の世界観が巧みに描かれたこの一冊との出会いを契機に、アフリカ社会の知られざる面白さや熱気を明らかにしたいという僕の思いは、強い欲求へと変わっていった。

## 初めてのフィールドワーク――森の民ボンガンドの困窮

二〇一三年八月、京都大学大学院に進学した僕は、ダイジさん、松浦さんとともにワンバ地域へと初めてのフィールドワークに赴いた。キンシャサからセスナでジョルをめざす。眼下は地平線の彼方まで鬱蒼とした熱帯雨林で覆われ、そこを縫うように世界第二位の流域面積を誇るコンゴ河水系が張り巡らされている。上空から眺めていると、人々の力がいかに小さいかを痛感させられる。人間の存在が希薄なのだ。一時間ほど注視してみても集落を見いだすのは難しく、人の生活する余地はほとんどないように感じられた。コンゴ盆地を旅した探検家ヘンリー・モートン・スタンレーはこの土地を「暗黒大陸」と呼んだけれど、彼の言葉通り、目の前には人間の介入を許さない大密林が広がっているように思えた。

降り立ったジョルの空港からワンバ地域まではバイクで四時間ほどの道行きになる。バイクにスーツケースをくくりつけ、ドライバーと荷物のわずかな隙間に自分の体をねじ込む。舗装された道路は皆無で、調査地への移動は身体的な負担がともなうものだった。降雨によってできたでこぼこを避け、坂道を登ったり、粗末な丸木橋を幾度も越えたりしながら走らなければならない（写真3－1）。長時間のバイクの振動で足先からは血の気が引き、途中の休憩では足をさすってなんとか感覚を取り戻そうと努める。初めてのフィールド行で目にしたのは、キンシャサとはあまりにもちがった風景だった。それでも道中、村の子どもたちが「ンボテ」と手を振ってくれたり、わんぱく坊主がバイクに追いつこうと駆け寄ってきたりするのをみると、ようやくコンゴの日常が自分に迫ってきているようで、胸が高鳴ったことを今でも覚えている。

高鳴る期待に反して、村入りと同時に僕は人々の洗礼にさらされた。キンシャサでの経験から予期していたとはいえ、調査地に住むボンガンドの人々の「圧力」は生易しいものではなかったのである。ダイジさんの言葉を借りるならば、ボンガンド社会では「個の突出を阻む嫉妬と足の引っ張り合いという論理が貫徹している」という。とくに森林世界に隔絶された農村において、このような「平準化」の圧力はいかんともしがたいものがあった。村に着いてからの一週間、人々のたび重なる要求が続く。朝起きて食事をとろうとする瞬間に始まり、夕食後の暇をとるまでのあいだ、無数の人々がひっきりなしにやってきて、心を落ち着ける瞬間がまったくなかった（写真3－2）。日本から持ってきたお土産を配ったりコーヒーや砂糖をふるまったりと、息つく暇がないほど彼らへの応対に奔走させられる。

ようやく人々の来訪が落ち着き、調査に乗り出そうとした矢先にも一悶着あった。村長が、「お金を配らないのであれば村から出て行け」などと迫るのである。さすがのダイジさんも憤懣やるかたない表情をみせ、設置したばかりのソーラーパネルをこれ見よがしに屋根から降ろし、村から帰ろうという姿勢を示す。もち

写真3－1　丸木橋を渡す

ろん、本当にすごすごと帰るつもりはないのだが、交渉と圧力の掛け合いがこの社会を支配しており、僕らもその論理に従わなければ物事が立ちゆかない。

こうしたやりとりは、日本人研究者と村人のあいだにのみ見られるものではない。村人同士でも金銭や物品の授受をめぐる交渉が常態化しており、経済的に余裕のある住民はすべからく平準化の圧力にさらされる。相互扶助のつながりは、合理的なリスク分散システムとして機能する一方で、共同体内部の足の引っ張り合いは、社会を停滞させる要因にもなっているのではないかと感じた。

写真3-2　人々の来訪

同時に、人々の苛烈な要求はワンバ地域の困窮がいかに深刻なのかを示しているのかもしれない。紛争により道路は寸断され、プランテーション会社も撤退したことで、以前のような農産物買い付けトラックの交通は途絶えてしまった。そのため、村人たちは二五〇キロメートル以上離れた定期市への「長距離徒歩交易」を余儀なくされている（写真3-3）。学費や医療費を捻出するために、ボンガンドの人々は、ときに三〇キログラムにもなる商品を担いで片道一週間以上かけて森林地帯を歩いて突っ切るのである（コラム6参照）。彼らは、過酷な徒歩交易を通じてかろうじて糊口をしのいでいるが、それでも流通崩壊にともなう極度の貧困状態から抜け出すことは難しい。

紛争から本当の意味で立ち直るためには、いかに商品を生産するかではなく、いかに商品を流通に乗せるかという視点が必要になる（写真3－4）。農作物が売れれば、地域経済は徐々に回復する。売れなければ停滞が続く。ひとつの農村を見ているだけではこの状況を変えられない。農村から都市へ、そして都市から農村へ、ヒト・モノ・カネがどのように移動しているのか、流通の全体像を

写真3－3　ボンガンドの長距離徒歩交易

写真3－4　森林地帯の商品輸送

把握しなければならない。しかし、紛争によって一九九〇年代から多くの研究が中断を強いられ、こんにち、コンゴ東部の流通実態を描いた先行研究はほとんど存在していない。ないなら自分でやるしかない。そう考えた僕は、森林世界から河川世界への越境を試みた。

## 市場を遍歴する河の民ロケレ

予備調査を終え、半年の準備期間を経た二〇一四年の七月、僕は東部州（現在はチョポ州）で本格的な調査を始めた。この調査では、州都キサンガニと後背地である農村部とを結ぶ商品流通の全容を明らかにするため、点在する定期市をひとつずつしらみつぶしに踏査した。森林が優占するワンバ地域とは異なり、この地域にはコンゴ河やロマミ川などの大型河川が流れており、紛争による陸上輸送インフラの喪失を補うため水上交易が活発に営まれるようになっていた。まさに「河の道」がこの地域の生命線として機能している。

機上からは小さくみえたコンゴ河は、実際には圧倒的な存在感だった。あまりに大きすぎて対岸を見通すことができず、海だと言われれば、そうだろうと頷いてしまうほどの雄大な景色が目の前に広がっていた。通常、コンゴ河の流れは緩やかで、まるで鏡面のように周囲を映し出している。けれど、一度風雨にさらされると、穏やかだった景色は一変して、荒れた海のように波が立つ。そんなときには、誰も河に近づくことができなくなる。人々は、こうした自然と向き合うための技術や論理を編み出さねばならない。

調査地の河川交通において主導的な地位を得ているのは、ロケレという民族である。彼らは、漁労を中心とした生業形態を持ち、屋形をかけた丸木舟で河川を縦横に移動する生活を送ってきた。それにくわえて、植民地化以前から周辺の焼畑農耕民とのあいだで物々交換市を開設するなどいち早く商業へと参入し、こんにちでは、市場を基点に流通ネットワークを広げながら商業参画の度合いを深めている。

ロケレ商人の多くは、河川沿いの五つか六つの市場を曜日ごとに巡回することで生計を営んでいる。早朝六時から一六時まで、露店で衣服や電気製品、雑貨などの工業製品を売り、その後、数百キログラムにもなる商品を複数の梱《こり》に入れて次の市場へと移動し、露店で夜を明かす。自分の村で休めるのは、一週間に二日ほどだ。

櫂を操り、河川を自由に行き来するロケレの技術は卓越していた。彼らに同行してみて、機械による助けもなく、身ひとつで定期市を結ぶロケレのたくましさに驚かされた。二〇時すぎに村を出発すると、次の市場をめざしてひたすら櫂を漕ぐ。彼らの鼻歌と櫂がかなでる水の音だけが耳元に響いてくる。そうした情景だけを切り取ると、たやすい印象を受けるかもしれないが、実際にやってみると決してそうはいかない。三〇分ほど漕ぐだけで全身から汗が噴き出し、両腕の筋肉は悲鳴をあげ、漕ぐのを放棄したいという思いがこみあげてくる。「自分は機械だ」などと何度も暗示をかけながらやっとの思いで漕ぐ僕を横目に、彼らは何食わぬ顔でときに八時間以上も櫂を漕ぎ続けた。月明かりを頼りに周囲の状況を見通し、商品を満載した長さ一〇メートルほどの丸木舟を巧みに操っていく。川下への移動はいいとしても、川上への移動にはさらに途方もない労力がかかる。

写真3－5　ポンドによる川の遡上

写真3－6　市場で眠る

時速四キロメートルで流れるコンゴ河を遡上するために彼らが用いるのは、長さ三メートルほどの「ポンド」と呼ばれる棹だけだ。ポンドの先端にくくりつけられた金属製の鉤爪を水底にさし入れ、丸木舟を文字通り押し進める（写真3－5）。無限に続くかとも思える過酷な労働によって、彼らは紛争後の困難な社会状況を克服しようとしていた。

はじめの数週間は、ロケレの生活に慣れるのに精いっぱいだった。新しい市場を訪れるたびに、村長に調査の目的を説明し、許可証に署名をもらう。人々は、突然あらわれた外国人に困惑している様子で、市場を歩いていると、「モンデレ（リンガラ語で「白人」の意）、モンデレ」という声がそこかしこで聞こえる。「こんなところまで何しに来たんだ」と幾度も問われる。警戒と緊張が入り交じった空気だ。ひとりひとりに自分の名前を告げ、何をしているかを伝え、できるかぎり彼らと同じ生活をするように努める。商人とともに丸木舟で河川を遡上し、市場の食堂で昼食をとり、露店の中で眠った（写真3－6）。ブルーシートで覆われた露店の中に寝転ぶ

写真３−７　市の光景

と、日本の話をしてくれという声がかかる。尋ねられた質問には誠実に答えなければならないから、日付をまたぐまでブルーシート越しに商人たちとの会話が続く。そんな夜を重ねるうち、彼らとの生活にも少しずつなじみ、僕と彼らの境界もほどけていく。「シンゴ、また地図を描いてるのか」「シンゴ、朝からなにも食べてないよ」、見知らぬ「モンデレ」から「シンゴ」に昇格したときはなぜだかとても嬉しかった。

市場はその時々でめまぐるしく表情を変える。前日にはほとんど人の姿がなく寂れて見えた場所が、市の立つ日になると数千の人々と無数の商品で埋め尽くされる。早朝から数百艘の丸木舟が接岸し、キャッサバやトウモロコシ、イモムシ、獣肉、干し魚や鮮魚などが市場になだれ込む（写真３−７）。森林地帯の農村ではあまり見られない工業製品の流入も著しい。屋根用のトタン、テレビ、ＤＶＤプレイヤー、携帯電話、ラジオ、大型のスピーカーアンプ、鍋、山刀、ボールペンやノートにいたるまで、多種多様な工業製品が露店に溢れている。そうした商品を求めて集まってきた人々で、市場の辻という辻が賑わう。値切り交渉があちこちで飛び交い、売り子の呼び声と大音量のリンガラミュージックが鳴り響く。流通から遮断された森林地帯とは対照的に、河川沿いの市場ではきわめて活発な商業活動が営まれていた。

市場での調査を続けるうちに、ロケレの精神性ともいえるものも少しずつ見えてきた。とくに際立っていたのは、「お金を回して事業を拡大する」という商業民のエートスである。資本を蓄積し、新事業へと投資するという考え方は、資本主義経済を生きる現代人には当たり前かもしれないが、コンゴ社会、とりわけ森林地帯の焼畑農耕民にとってかならずしも自明ではない。お金を持っていれば共同体内部の嫉妬を買い、貧しいものへの分与が強く期待されることから、たとえ現金が得られたとしてもそれを消費し尽くす傾向が見られるのである。

これに対して、ロケレをはじめとする商人は、「コマティィサ・ボンゴ（お金を大きくする）」ことをめざしている。いかに出費を切り詰め、利益を拡大するかが関心事であり、そのための「カルキュール（計算）」こそが最も重要な能力であると強調する。販売を終えたあと、帳簿にその日の売り上げを書きくわえ、電卓を弾く様子はとても印象的だった。彼らは、商品がどれくらい残っているか、次にどんな商品を仕入れるべきなのかを毎日の販売傾向から割り出し、計画を立案する。「ひとつの商品から得られる利益はわずかしかないんだ。あれだけきつい市場の仕事も計算ができなければ全て無駄になってしまう」。こうした語りに見られるように、商人たちは差益と売り上げの動向を注意深く見きわめながら事業の拡大を試みる。遅々とした歩みなのかもしれないが、商人たちは幾月幾年にわたって市場を巡回することで利得を積み上げ、丸木舟やバイクなど自前の移動手段を導入したり、紛争以前には見られなかったレンガやトタン屋根でできた常設店舗を建設したりと、着実に商業活動を拡大していた。

ロケレ商人の態度は、頼るべき森を持たないという彼らの生活環境に由来するものだろう。農耕民の圧迫を受けて、ロケレの土地は河川沿岸に限定されており、家族を養いうる森林という安定的な生活基盤を有していない。それゆえロケレは、自分自身の領域のみでは自活することができず、異なる世界への越境を宿命づけられている。いかに外部の人間とまじわり、商品を流通させるかがカギとなる。そのためには、相手が何を求めているのかを理解し、相互の利益を考えながら交渉して、出自の異なる集団と友好的な関係を築かなければならない。一回きりの関係ではなく、お互いに満足のいく取引を継続しておこなうことができなければ、商売は広がらない。これら商いの手練手管を、彼らは経験的に学びとる。「ロケレは市場で育つ」という言葉があるが、子どもたちは学校教育の合間に商売のイロハを叩き込まれるのである。市場での水の売り子に始まり、村周辺でのオレンジやバナナの仕入れやガソリン販売、親戚の商人のもとでの丁稚奉公など、ロケレの子どもたちは商売の技を幼少期からの実践を通じて獲得していく。

しかし、こうした技術と精神性をもってしても、実際に事業を拡大できるのは才覚と運に恵まれた一握りの人だけだ。河川という自然環境と直接向き合う彼らの仕事には、常に多大なリスクがともなう。「板子一枚下は地獄」という日本のことわざは、現代のロケレ商人にもそのまま当てはまる。ロケレの仕事は、自分の全財産を背負って各地を移動するようなものだから、たった一度の水難事故ですべてが水泡に帰すこともままある。数年かけて積み上げた資金はもちろん、ときに自分の命までもが危険にさらされる。実際、僕が調査した四年間に、把握しているだけで六回ほど大規模な沈没事故が起こっており、そのたびに多くの人命が失われていた。彼らは生活を成り立たせるために死というリスクも厭わず、河という自然と対峙している。

多くの犠牲を代償にしながらも、コンゴの河川世界は現在、大きな転換期を迎えつつある。紛争により従来の社会システムが崩壊するなかで、「河の民」はすべての技術と資源を用いて独力で社会の再建を試みている。フィールド経験が増すにつれて、彼らの思考のあり方が紛争後の社会を復興するためのひとつの指針を示しているように思えた。森から河へとフィールドを越境するなかで僕が考えたのは、ロケレ商人の技術と考え方を森林内部へと波及させていくことが重要なのではないかということだ。コンゴの熱帯雨林には世界にも類を見ない豊かな恵みがある。そのポテンシャルを発揮するためには、「河の道」を開くことが不可欠の条件である。過酷な徒歩交易にかわって、自然の幹線道路とも呼べる「河の道」を利用することができれば、森林地帯の村人が抱える苦境を克服する可能性も見えてくる。もちろん、八〇〇キロメートル以上遠方の都市へと「河の道」を開くことがとんでもない挑戦であることはいうまでもないが、だからといって、自分の見知った世界にとどまっているだけでは、この国の悲惨な状況を変える次の一手は得られないだろう。「旅する者の目は開かれる。旅するからこそ知恵が生まれる」。そんなロケレの言葉に励まされながら、二〇一七年九月、僕らは河の旅へと乗り出すこととなった。

# 第Ⅱ部　森で生きる

# 第4章　地域開発のカギをにぎる住民組織

松浦直毅

## 急増する住民組織

「ドクター！　ボンジュール‼」

ワンバ村に到着した翌日の七月三一日朝七時すぎ、長旅の疲労がまだ残っているのを感じながら、のんびりと朝食後のコーヒーを楽しんでいるところに、さっそく威勢のいい声がかかる。私の到着を心待ちにしていた（手ぐすね引いて待っていた）村人たちが、さっそく話をしにやって来ている。小柄で少年のような顔立ちの中学校教師デュドネと、恰幅がよくやたらと声がでかい商人ガストンだ。そのすぐあとにアルフォンスとクリストフもやってくる。このふたりは、多くの村人が村の小中学校を出るのが精々というなかで、町で高校や専門学校に通った経歴を持ち、三〇代そこそこであるが、それぞれ中学校と小学校の校長を務めている。着いたばかりでまだ荷物の整理も心の準備もできていないが、彼らと話すことが先決である。

ひとしきり近況を報告し合ったあと、さっそく今回の水上輸送プロジェクトの話題になる。かねてから計画していたことであり、先に来ていた研究者から情報が伝わっていたこともあって、すでに興味津々で期待いっぱいのようだ。私の説明を聞くか聞かないかのうちに、さっそく彼らのあいだで口角泡を飛ばす勢いで議論が始まっている。ものすごい前のめりになって意見を言い合う彼らの声に耳を傾けつつ、実現に向けて何が必要かを考える。プロジェクトの成否のカギを握っているのは、ほかでもなく村人たち自身であり、彼らと綿密に意見を交換し、みんなが納得しておこなうことこそが大切だ。

写真4−1　ティラピアの養殖池、左にいるのはクリストフ

ところで、この四人には共通する特徴がある。それは、四人とも「住民組織」の活動を中心になって推進しているということである。紛争でインフラが崩壊し、地域経済が著しく衰退して、政府による支援もまったくといっていいほど期待できないワンバ地域では、村人たち自身が生活向上のためにさまざまな自助努力をしている。そのひとつが、住民組織を通じた協働である。数人〜十数人くらいが協力して、ひとつの畑をつくったり、ヤギ、ブタ、アヒル、ニワトリなどの家畜家禽を一緒に飼育したりしている。ティラピアという魚の養殖（写真4−

1）や、蒸留酒やヤシ油の生産（写真4－2）などに活動を広げている組織もある。

ワンバ地域では、二〇〇五年にひとつの団体ができたのを皮切りに、二〇〇〇年代後半から二〇一〇年代にかけて、住民組織が雨後のタケノコのようにつくられた。第2章で述べられているように、もともとこの地域の社会には、畑仕事を手伝い合ったり、お金を集めて困っている人を助けたりするといった相互扶助の仕組みがあり、住民組織が急増した背景にはそうした社会基盤がある。一方、住民組織が従来の相互扶助と異なる点として、比較的若く、町で教育を受けた人たちが中心になっていることが挙げられる。学校や教会などの関係者、商売経験がある人などが中心になることが多く、真っ先に私を訪ねてきた四人もまさしくそうだ。地域の将来を担う世代で、知識や意欲も持っている人たちが、活動を推進しているのである。

写真4－2　ヤシ油をしぼる器具、棒を持ってグルグルまわる

とはいえ、住民組織は自然発生的に増加したわけではない。ボノボの重要な生息地であるワンバ地域では、日本人研究者だけでなく自然保護にかかわる国際団体が活動しており、そうした団体が

「住民参加」による自然保護を進めるために、住民組織の設立を推進した。住民の側も、住民組織をつくれば支援を受けられるということで、こぞってこの流れに乗った。その結果、人口合わせて一万人程度のワンバ村とイヨンジ村に、一時期には約四〇もの住民組織が乱立することになった。住民組織の名称には仰々しいフランス語が使われたり、良い意味を持ったリンガラ語の単語が使われたりするが、アソシアシオン（＝組織）の「A」から始まるものばかりあるなど、似たり寄ったりでまぎらわしい。そして、なかには組織としての体をなしていないものも多かった。メンバーや活動内容などが書かれた紙だけあって活動実態のないものや、もともと家族でやっていることに住民組織の看板をつけただけのものなどだ。

私は、こうした現象に興味を持って住民組織について調査してきたのだが、そうすると、それがまた住民組織の乱立を後押しすることになる。私が「住民組織の情報があれば教えて欲しい」と尋ねてまわっていたら、その場にいた人たちが、あれこれ言い合いながら慌てて紙を探して何かを書き始めた。「じつは私たちは、〇〇という組織のメンバーで……」などと言ってそのシワだらけの紙を持ってくる。住民組織があれば支援してもらえると早合点したわけだが、ドロナワにもほどがある（写真4－3）。そもそも組織が何なのかが理解されていないこともある。あるとき、ひとりの男性が、「自分も〈住民組織〉をやっているから一度見に来て欲しい」などといってきた。「どんな活動をしているの？」と聞くと、畑でキャッサバを育てているのだという。「じゃあメンバーは？」と聞くと、自分ひとりだという。さすがにそれでは、「うん、自分の家で自分の畑をやっているんだね！」といっておひきとり願うしかなかった。

こうして雨後のタケノコのようにできた住民組織であるが、数年後には、一応は組織として機能し、継続的に活動している二十数団体にまで淘汰された。メンバーが数人しかいなかった小さい団体がくっついてひとつになり、活動規模を広げるという例もあった。わずかずつではあるが住民組織が成熟を深め、活動が軌道に乗ってきた、というのがこの数年間の過程であった。

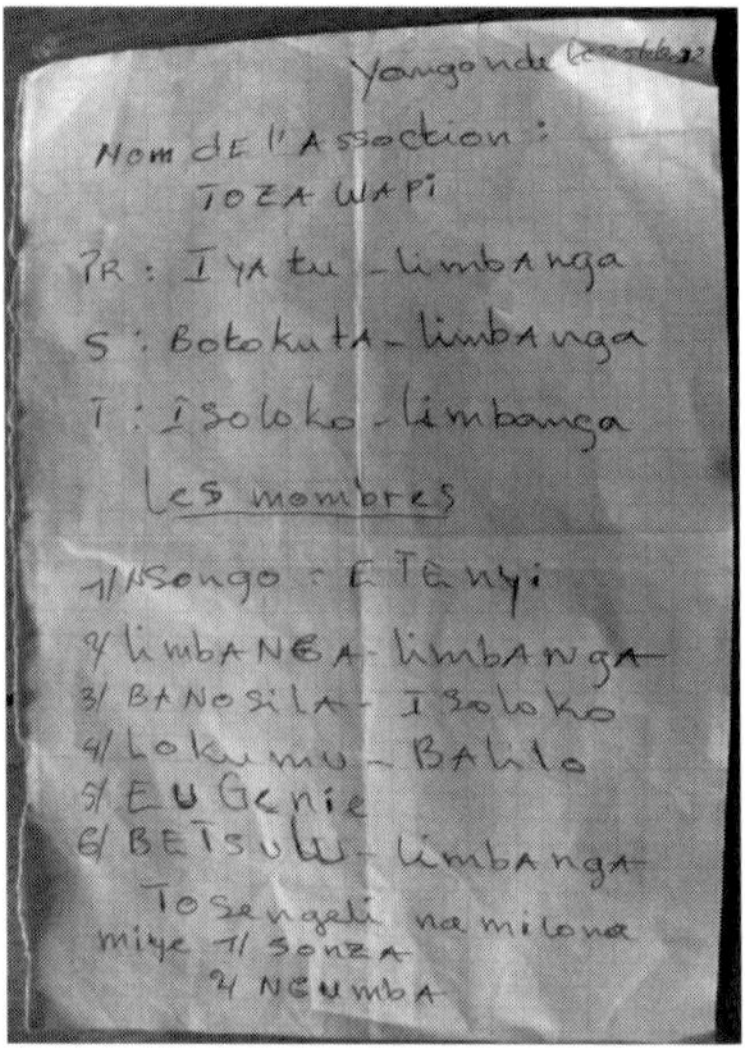
Yangonde
Nom de l'Assoction :
TOZA WAPI
PR : IYAtu - limbanga
S : Botokuta - limbanga
T : Isoloko - limbanga
Les mombres
1/ Nsongo - ETEnyi
2/ limbANGA - limbANGA
3/ BANOSILA - ISoloko
4/ Lokumu - BAlito
5/ EUGenie
6/ BETSulu - limbanga
Tosengeli na milona
miye 1/ SONZA
2/ NGUMbA

写真４−３　住民組織の書類、「いまそこで書いてたでしょ？」といいたくなる。ちなみに組織の名前は「トザ・ワピ？（Toza wapi：私たちはどこに？）」。こっちが聞きたい

## 住民組織が地域を変える？

従来の伝統的な組織にかわって地域住民と外部団体をつなぐ役割を果たす住民組織は、「参加型開発」の担い手として期待されてきた（Esman & Uphoff 1984; Lewis & Kanji 2009）。とくに政治的に不安定なアフリカ諸国では、政府を介さずに国際社会と直接つながり、支援の受け皿になるものとして重要な位置づけにある。一方で、アフリカの住民組織の問題として、経済力を持たず外部の支援頼みであること、組織の中心になって利益を得るのは地域の有力者たちで、本当に支援が必要な住

民の助けになっていないことが指摘されている（Hearn 2007）。また、組織として未成熟で運営体制が整っていないことや、住民組織内外の社会的対立が活動の発展を阻害していることも問題となっている。

もちろんワンバ地域においても、住民組織が地域社会に良い影響ばかりをもたらすわけではないことに注意しなければならない。新しい世代の人たちが中心になって活動を推し進めているが、それによって世代間の格差が広がるおそれがある。また、活動方針がきちんと共有されている団体ばかりではなく、利益が上がればそれをめぐって争いも生じる。そもそも、住民組織という形態自体が対立の可能性をはらんでいる。第2章で述べられているように、ボンガンドの社会は、父系親族集団のつながりが強固なことが特徴だが、それは逆にいえば、異なる親族集団同士がまじわりにくいということでもあり、親族集団をこえた幅広いメンバーで形成される住民組織は、敵同士が一緒にいるようなものでもあるのだ。

実際に私は、ワンバ村でおこなわれた支援事業が大失敗に終わった例を目の当たりにしてきた（Matsuura 2015）。二〇一三年、ワンバ村に滞在していたフランス人の活動家が、村の開発のために九〇〇〇ドルの助成金を獲得し、ソーラーパネル付きの船外機、充電機器、製粉機などをある住民組織に贈った。しかし、これらの物品は、いずれも村では維持や管理が困難なもので、結局ほとんど使われずじまいだった。それだけなら単なるムダで済むのだが、物品の所有をめぐって組織内で対立が深まり、挙げ句の果てには裁判沙汰になってしまった。あろうことか、この組織が政府に罰金を払わされる羽目になり、援助を受ける前よりもマイナスの状態に陥ってしまった。この活動家は、いい加減な性格なわけでもなければ、人々の関係を乱そうという悪意があったわけでも決してない。むしろ優れた知識を持っており、精力的に人々と意見を交わし、彼らに寄り添って地域の問題を一緒に考えようとする好人物であった。もちろん、「だから失敗の原因は住民の側にあるのだ」といって彼らを責めたいわけでもない。この活動家にまずかったことがあるとすれば、地域の文化的特徴をあまり理解しないまま、実際に利用されるときのことを十分に考慮せずに物品を選んだこと、そして、物品を贈ったところで去ってしまってそのあとにまで寄り添えなかった点だろう。

こうしたことを念頭において私は、どうやって住民組織の活動を後押しするか、どのような組織のあり方が望ましいのかを考え、わずかではあるが資金援助をしながら、彼らの活動に伴走し続けるよう努めてきた。そう言うと立派に聞こえるが、何年かつきあっていればほうっておけなくなるし、ほうっておいてくれなくなる、というのが実際のところだ。正直なところ、彼らとの関係にからめとられ、巻き込まれていくのは、息苦しく重荷に感じることでもある。しかしそれ以上に、気持ちを通わせて喜びをともにすることは心地良く、地域に長きにわたって深くかかわるフィールドワークの醍醐味だと思う。

とはいえ、個々の組織に目を向けてそれぞれにしっかりと寄り添うこと、地域の社会的文脈をふまえて身の丈に合った確実な支援をすることだけでは、この大変な生活状況のなかでは焼け石に水でしかないとも思わされてきた。ブタの飼育をしたいという組織に対して一〇〇ドルの支援をしたことがある。彼らはその資金で二頭のブタを買い、もともと持っていた二頭と合わせて四頭になった。その後、コドモが生まれるなどして最大七頭まで増えたが、病気になったメンバーへの援助や学費の支払いのために売ったり、疫病で何頭かが死んでしまったりして、一年後には結局もとの二頭に戻っていた。一〇〇〇ドル支援していれば一〇倍良い結果になっていたというような単純なものではないし、失敗もふくめて試行錯誤した過程で蓄積された知識や経験、事業を通じた協力関係の形成など、目に見えない成果が重要だとも思うが、それでもやはり、生活に変化をもたらすきっかけとなるような大きな事業をおこなう必要性を強く感じ始めていた。

地域社会に深く入り込む人類学者は、自分の存在がその社会に与える影響に対して自覚的であるべきであり、ましてそれによって人々が不幸になるようなことは注意深く避けなければならない。私ひとりにできることは限られているが、大規模プロジェクトとなれば地域に何かしらの影響を与えることはまちがいなく、やすやすと実行に移せるものではないと考えてきた。だが、村に変化をもたらすことから目をそむけてばかりもいられない。失敗をおそれていては何も変わらない。これまでの失敗事例や試行錯誤を教訓にして、とにかくできるだけのことをやってみよう。かりに失敗したとしても、それを引き受けてとことんまで寄り添う覚悟を持とう。頼もしい協力者を得て、村の人たちの機運が高まって準備も整った今回は、そのための機が熟したといえるのではないか。さっそく前のめりになってプロジェクトについて議論する人々を見ながら、私はその確信を強めた。

## 船問題と燃料問題

八月上旬、私から少し遅れて山口亮太君（以下、ヤマグチ君）が到着した。私はワンバ村、ヤマグチ君はイヨンジ村にそれぞれ拠点を置き、お互いに行き来をしながら、村の人たちとの話し合いと事前準備を進める。船の出発を九月一〇日ごろに定め、町で販売する商品をそれまでの約一か月間で集めてもらうことを住民組織に呼びかけた。「一か月では全然集まらないよ！」などという声もあったが、さて、どのような商品がどのくらい集まるだろうか。これぱかりはふたを開けてみなければわからない。

事前の準備で最も大きな問題となったのは、船をどうするかということであった。当初は、住民組織が所有している丸木舟を利用するつもりだったが、多くの商品を載せて長距離を移動するには大きさが不十分だとわかり、地域で活動する実業家や商人に協力を仰ぐことにした。村の人々は十分な航行経験や操縦の専門的技術を持っているわけでもないので、この点においても実業家や商人の協力が不可欠であった。船と乗組員の候補はふたつだ。ひとつは、他地域から数年前にワンバ村にやってきた商人ティゾン氏のグループである。村で買いつけた農産物や森林産物をバンダカまですでに複数回輸送しており、道中のことやバンダカでの取引のことも熟知している。もちろん、船を操る技術も十分に信頼がおける。ふたつめは、二〇一七年になってワンバ地域周辺で商売と地域貢献活動を始めた実業家バファンベンベ氏のグループである。この地域の出身で、キンシャサに出て財をなしたバファンベンベ氏は、実業家であるとともに政治家でもあり、次の国会議員選挙をにらんで親戚や仲間たちを送り込み、ワンバ村から約八〇キロメートルのベフォリという町（16ページ地図3）を拠点にして活動をおこなっていた。バファンベンベ氏が送り込んだメンバーも、その多くがこの地域の出身者で、プランテーション会社や運送会社で働くなどして、河川交易の経験も豊富にあった。

船と乗組員こそがプロジェクトの成否を左右する最も重要なものであることから、どちらを選ぶかをさんざん悩んだが、最終的に私たちが選んだのは、バファンベンベ氏のグループだった（ここからは、「バ組」と呼ぶことにしよう）。船のレンタル料や人件費をふくめた請求金額はティゾン氏の方が安く、実際に商取引をおこなうことからも、商人である彼らがいれば大きな助けになるにちがいなかったが、私たちが重視したのはお金ではなく人間関係だった。ティゾン氏が他地域出身の他民族であるのに対して、バ組はワンバ地域周辺に出自を持つボンガンドで、地域社会と深いかかわりがある。商人が利益獲得を目的に拠点を移しながら活動しているのに対して、バ組はこの地域に根をおろして地域貢献活動も積極的におこなおうとしていた。今回のプロジェクトの最大の目的は、商売を成功させることではなく、プロジェクトをひとつのきっかけにして、村の人々が経験を積み、それを他の人たちと共有し、そうしてみんなで村の将来のあり方について考えることである。そして、それを通じて、村の人同士、あるいは村の人々と私たちをふくむ外部者とが関係を深めることにこそ意義がある。そう考えてバ組を選んだのだった。

八月一〇日、ベフォリのバ組の拠点を訪れて実際に船を見たうえで、モーターやその他の用具とともにそれを借りることに決めた。一本の木をくりぬいて削って造られた丸木舟だが、長さが約三〇メートル、幅が約一メートルと巨大なもので、これなら人と荷物をたくさん載せた長旅も大丈夫だろうと安堵した（写真4－4）。乗組員たちとも話してみたが、キンシャサで船や機械の操縦を専門的に学んだり、キンシャサと地方を何度となく往復したりしてきた人たちがそろっており、その点でも安心できた。一方で、住民組織の丸木舟を使うこと、しかも、ワンバ村とイヨンジ村のふたつの村から一艘ずつ舟をつないで使うことに意義があると考えていたため、バ組から大きな丸木舟を一艘借りて、その両側に村の丸木舟をつなげることにした。

事前準備のもうひとつの懸案は、モーターの燃料となるガソリンの調達だった。数日間の行程、道のりにして約八〇〇キロメートルにおよぶ船旅には大量のガソリンが必要だが、約六〇〇キロメートル先の大きな町に着くまでは途中で補給するのが難しいので、あらかじめ十分に積み込んでいかなければならない。その量は膨大で、八〇〇リットルが必要であるという。ワンバ村にはそんな量のガソリンはないので、ジョルで買わなければならなかった。

写真4-4　レンタルすることにした巨大な丸木舟

ベフォリを訪れた翌日の八月一一日、そのままジョルに行って商店でガソリンを注文した。ジョルにもそれだけの量のガソリンはないので、商店主がバイクでコンゴ河沿いのロクトゥという町まで買いつけに行くことになり、輸送費をふくめた料金の半額を前払いした。ジョルとロクトゥを往復するにはバイクで四日ほどかかり、八〇〇リットル運ぶには三台のバイクを使って最低二往復はしなければならない。つまり、少なくとも一〇日はかかることになる。ガソリンがなければ文字通り身動きがとれないわけで、無事に集まることを祈りつつジョルを離れた。ジョルまできちんと届くかどうかも不安だが、かりにジョルまで届いたとしても、そのあとワンバ村までの八〇キロメートルの輸送をどうするかという問題もまだ残っている。

## 着々と進む準備

八月一八、一九日に、ワンバ村とイヨンジ村のそれぞれで住民組織の関係者を集めて会合を開き、船や燃料のことなど、これまでの準備状況を説明するとともに、人々の意見を聴いた。また、バンダカに運ぶ商品をどのように集めるかについても相談した。すでに議論を重ねてきたこともあって大きな問題が生じることはなく、平和的で円滑な話し合いができたが、ひとつ議論になったこととして、商品にブタやヤギなどの家畜を入れるかどうかという点があった。道中の世話が大変で、途中で死んでしまうリスクや衛生的な問題もあることから、当初は家畜を運ぶ計画はなかった。もちろん、家畜と一緒に船旅をしたくないという気持ちが強いのも正直なところだ。だが、村の人々にとって家畜は数少ない貴重な財産であり重要な収入源であることから、どうしても家畜を入れたいとの意見があいついだ。村のメンバーがきちんと世話をすると約束してもらったうえで、家畜も商品に入れることにした。

船の出発方法も決まった。ワンバ村の一部で、村の中心から南に一〇キロメートルほど離れたルオー川のほとりにあるリンゴンジという集落を出発地とし、商品は彼らの手でそこまで運んでもらうことになった。

八月二八日、ガソリンが届いたという知らせを受けて、ふたたびジョルに出かけた。二五リットル容器に三二本分のガソリンが無事に届いており、一五〇〇ドル近くの支払いを済ませた。ジョルではさらに、長い船旅に備えて市場で食料を買い集めた。道中には漁をしている人たちがたくさんいるはずで、キャンプや村も点々とあるようなので、ある程度は現地調達が見込めるが、つねに十分な食料が手に入るかはわからない。十数人が約一週間暮らすには相当な量の食料が必要で、調味料などは道中では手に入りにくいことも予想される。そこで、米、オイルサーディン缶、塩、砂糖、粉末ミルク、コンソメなどをそれぞれ大量に買い込んだ。

ガソリンに話を戻すと、ジョルから帰る際に私がバイク二台を使って八本は運んだが、まだ二四本残っていた。それだけの量を運ぶという重労働にくわえ、ガソリンを運ぶのにまたさらにガソリンが必要という金銭的な負担もあり、モノの輸送にかかるさまざまなコストの大きさをあらためて痛感する。そう、この輸送の困難さこそが村の人々を苦しめている大きな問題であり、だからこそ輸送を支援するプロジェクトを発案したのである。ジョルからのガソリン輸送は、冒頭に登場したアルフォンスとクリストフに他の組織のメンバーひとりをくわえた三人が買って出てくれた。一回では運びきれず二往復することになったが、二日間走りっぱなしという彼らの奮闘の結果、ようやくワンバ村にガソリンが集まった。

さて、ワンバ村に到着してからそろそろ一か月が経とうとしている。話し合いや準備に奔走した日々は慌ただしく大変だった。しかし、人々と手をたずさえてひとつひとつ課題をクリアしていくことで確実に前進していることが実感できる日々は、とても充実したものでもあった。出発までにやるべきことはまだまだたくさんあり、どこでどんな問題が起きるかもわからない。出発したらしたで、その先にどんな旅が待っているのかわからず、不安も募る。だが、そうした何が起こるか想像がつかない状況、つぎつぎに直面する問題の数々を、どこか楽しみにしている自分がいる。やはりコンゴでのフィールドワークはやめられない。

コラム3

# ボノボをめぐる保全の変遷

坂巻哲也

頭上に照りつける赤道の太陽。遠くに聞こえていた雷鳴が近づいてくる。風の音が遠くからきては、頭上を過ぎる。三〇分前には青かった空が厚い雲に覆われ、二〇メートルくらいの林冠からポツポツと突き出た高木が激しく揺れる。落木に注意しながら、雨に備えて合羽をリュックから取り出す。やがて雨がたたきつけてくる。この中では、ボノボも五〜一〇メートルの高さの枝の上でじっと縮こまるしかない。私もボノボが見える位置で、傘を握りしめ地面に立ちつくす。

ここはコンゴの熱帯雨林、ボノボの棲む森である。年間降水量は二〇〇〇ミリメートルを超えてくる。雨季と乾季の区別は小さく、月間降水量が一〇〇ミリメートルを切る月はせいぜい年に二〜三か月だ。ここ一〇年あまり、私は日本より、この地にいる期間の方が長い。

このコラムでは、私の経験にもとづきながら、ボノボをめぐる保全活動の変遷を書きとめることにしたい。

野生霊長類の調査が、個体識別にもとづく長期調査をベースにするようになったのは第二次大戦後のことである。はじめに対象とされたのはニホンザルだった。その後、野生チンパンジーの調査が開始されたのが一九五〇年代であることを思うと、野生ボノボの調査が一九七〇年代に始まったというのは、あまりに遅い。その理由は、ボノボが生息する地域——現コンゴ——の事情に尽きる。

一九六〇年のコンゴ共和国の独立、その直後のコンゴ動乱の混乱を経てモブツ政権が始まり、国名はザイール共和国に変わる。霊長類学者がボノボ生息地に入るには、この国の情勢が安定してくるときを待たなければならなかった。

ボノボ調査の先陣を切ったのは、日本人霊長類学者、西田利貞氏である（西田 2001）。一九七二年のことだ。つづく一九七三年の加納隆至氏の広域調査を経て、一九七四年にワンバとヤロシディのふたつの調査地が開かれる（加納 1986）。同じ年、アイルランド人研究者バドリアン夫妻がロマコ川沿いの森を有望と見定め、もうひとつの長期調査が始まる。日本人研究者の調査はやがてワンバ村に集中し、若い世代の研究者を迎え、二集団、三集団と調査対象を広げていった。

しかしやがて、モブツ政権のもとでのザイール経済に暗雲が立ち込める。一九九一年に起きた首都キンシャサでの暴動をきっかけに、ザイールはまたしても繰り返される混乱へと陥っていく。一九九〇年代にもいくつかのボノボ調査地が新しく開かれていたが（White 1996）、一九九〇年代後半には、戦乱の影響ですべてのボノボ研究者が調査地からの撤退を余儀なくされた。

ボノボの棲む森を守ろうとする保全活動は、一九九〇年代にその機運が高まっていく。経済悪化と政情不安に助長された密猟が横行し、市場には大量のサルの肉が出回り、その中にはボノボの手なども含まれていた。それらを目撃した諸外国の自然保護活動家たちが立ち上がったのである。

ワンバ村では、それより少し早く、一九八〇年代に保護区設立の活動が始まっている（伊谷 1990; 加納 1986）。日本人研究者が不在の

写真C3－1　畑に出てきたボノボたち

ときに、ボノボが殺されるという事態が頻発したからだ。一〇年ほどの試行期間を経て、村が保護区内にあり伝統的な狩猟も許されるという、当時の「要塞型」自然保護区モデルから見ると破格ともいえる「ルオー学術保護区」が認可された（写真C3－1）。村人と野生動物の共存をめざすという興味深い試みは、今も続いている（写真C3－2）。

一九九〇年代の戦乱を経て、外部アクターがボノボの棲む森に戻ってくるのは、二〇〇〇年代に入ってからである。すでに外国資本のプランテーション会社は撤退し、かつてトラックが走った橋は落ち、道も荒れ果てていた。地域住民たちは、現金収入の機会もなく、塩や石鹸、衣類を得るにも四苦八苦する生活を送っていた。彼らとの再会を喜びながら、保全活動家に転身するヨーロッパ人研究者もいた。ワンバ村では、研究活動とともに、地

写真 C3－2　幹線道路を歩くボノボたち

域住民の生活改善を支援する活動が始まることになる。

私がワンバ村で研究する機会を得たのは、二〇〇七年のことである。当時の私は、タンザニアでチンパンジーを研究してきたポスドク研究員だった。危険がともなう安定しない政治情勢、独特な交渉感覚が求められる政府役人や村人とのつき合い、そのような問題を考えると、戦後のワンバ基地を立て直すには、経験のあるポスドク研究員が望ましかったのだろう。私は、一九七〇年代からの諸先輩方の努力のたまものを守りつつ、情勢に合わせた調整を試みた。戦乱を経て疲弊した地域住民の一部は、私たちのような外部アクターに過剰な要求をつきつけてきた。わかりやすい構図だ。

二〇〇七年の時点では、すでに橋や幹線道路の整備、学用品や奨学金の支援、新たな病院建設の援助事業がはじまっていた。一部の人に利益がかたよらない、教育と医療、流通の改善などが支援の内容となっており、この方針は今に続いている。古市剛史氏（当時、明治学院大学）とムワンザ・ドゥンダ氏（当時、コンゴ生態森林研究センター所長）が中心となり、日本でNPO、コンゴでNGOを立ち上げ、支援金の受け皿を用意し、支援の枠組みが整えられた。

今振り返ってみると、あのころはボノボをめぐる保全の機運がとても高まっていた。そこでは「コンゴ盆地森林パートナーシップ」(Congo Basin Forest Partnership) など、アメリカ政府を中心とした巨額な支援が大きな役割を果たしていた。キンシャサで出会った、保全を進めるNGOの専門家たちのことを思い出す。たとえば、一九九〇年代半ばにロマコ森林で新しいボノボ調査地を開いたベルギー人のジェフ・デュパン氏は、戦乱中の密猟のひどさを目の当たりにし、二〇〇五年ごろから保全活動を担う国際NGO、AWF（アフリカ野生生物基金）のメンバーとなった。すでに一九九一年にはロマコ森林を保護区にしたいという要望書が政府に提出されていたが、その後、彼の尽力もあって、二〇〇六年にロマコは正式に保護区として認められた。現在、保護区の外では木材伐採がおこなわれているが、もしもこれ以上保護区の認可が遅れていたら、ボノボの棲む広大な森が切り開かれていたかもしれない（図C3―1）。

この時期のボノボ保全は、保護区設立が大きな活動目標だった。人々の活動を締め出す「要塞型」の保護区である。対象となったのは集落がない深い森の区域だが、そんな深い森でも、ところどころで人と会う。地域住民は、植民地時代につくられた幹線路沿いの集落とは別に、深い森の中でも生活を営む。そういった狩猟採集キャンプ（リンガラ語で「ガンダ」と呼ばれる）は、さながら別荘だ。季節的な食物、たとえば食用のイモムシを集めたりするのが、「別荘」に出かける目的だ。昔ながらのやり方になかったことといえば、現金収入のために獣肉を得るようになったことだろうか。

図C3－1　おもなボノボの調査地（過去の調査地を含む）

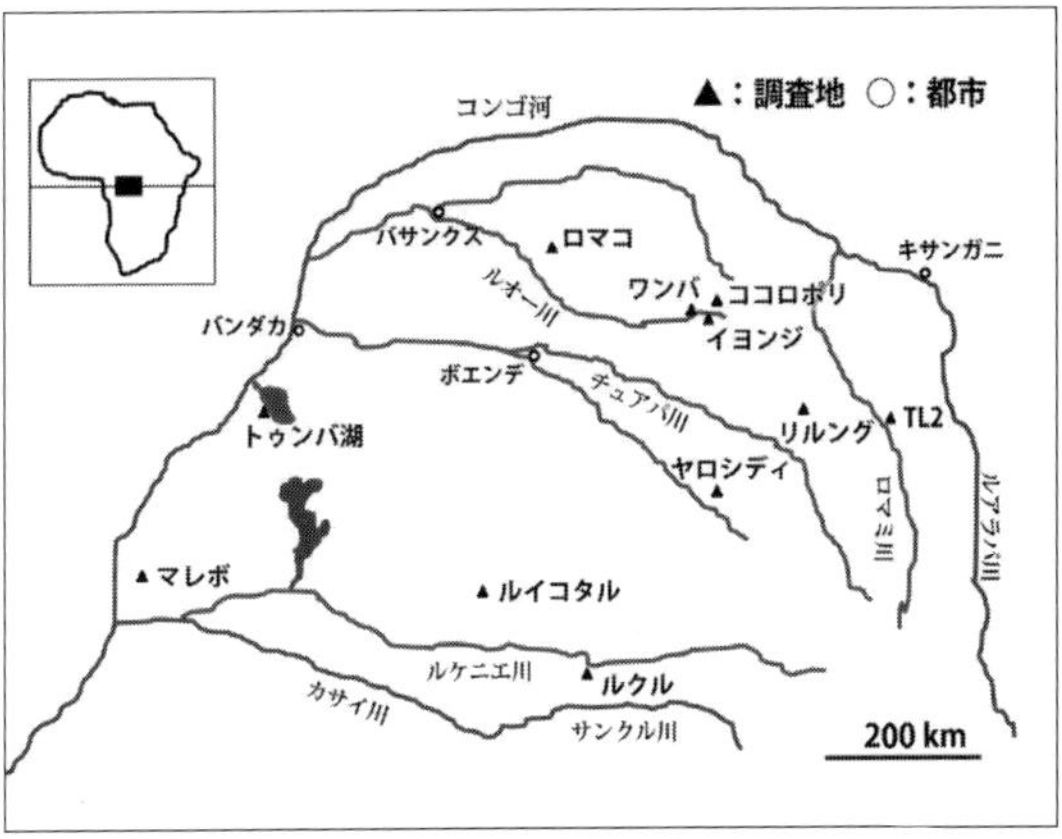


　私は二〇一〇年からの二年間、AWFの資金援助によるプロジェクトにかかわってきた(Sakamaki et al. 2012)。ワンバ村に隣接するイヨンジ村の森を新しい保護区にするというプロジェクトである。イヨンジ村の調査助手たちと森の中に住み、ボノボを観察できるようにする「人づけ」（餌づけではなく、追跡して側にいる時間を徐々に延ばすことで動物を人の存在に慣らしていくこと）の仕事などを進めてきた。その当時から、私は調査助手たちに次のような話をしていた。プロジェクトというのは数年単位で動くもので、ひとつのプロジェクトが終われば次がどうなるかはわからない、保全が村人に恒久的な現金収入を保証するかは

定かでない、そういう話だ。

　イヨンジ保護区は二〇一二年に正式にコンゴ政府に認可され、二〇一四年に保護区管理官が常駐するようになった。私はその後も、ワンバ村にいるあいだはひと月のうちの一週間くらい、イヨンジ村の森を訪れた。かつて保護区設立前に一緒に仕事をした村人の何人かが、制服を着て、銃器を肩に担ぎ、森のパトロールをしていた。なじみの村人も、制服に身をつつむと、こうもイメージが変わるものかとしみじみ思ったものである。その後、二〇一六年に、イヨンジ保護区の人づけプロジェクトは終了した。二〇一〇年代も半ばになると、多くの保全NGOが資金繰りに困難をきたすようになっていたのだろう。

　二〇一九年、私は二年ぶりにイヨンジ保護区のオフィスを訪れた。新しい立派な建物ができていた。新たに赴任していた保護区管理官から話を聞くことができたが、森のパトロールはストップしているということだった。パトロールに必要な物資などはAWFが支援していたが、それが止まったために、今は森のパトロールができないという。保護区設立から七年が過ぎたというのに、コンゴ政府はひとりもパトロール員を雇うことができないということなのかと、暗然たる気持ちになった。

　政府は、保護区の認可はしても運営のための予算をすぐには用意できない。そこで外部のNGOが、保護区管理をサポートするプロジェクトを立ち上げる。どんなプロジェクトも、たいてい数年単位で動き、やがて資金が尽きる。二〇一〇年代には、ボノボ保全のそんな様子を、何度か目にしてきた。

　一九九〇年代に保護区設立を中心とした保全の波が訪れ、それから二〇年が経った今、新しい波が訪れていることを感じる。保全活動が持続するには、恒久的な財源が必要であり、安定した収入の確保が求められる。諸外国からの支援に頼るコンゴ政府の体質が改善されることを期待するが、それがいつになるかはわからない。

私はワンバ村、イヨンジ村の調査につづいて、今はロマコの保護区でボノボの人づけをしている。研究者の来訪を期待しつつも、エコツーリズム開発を主とするプロジェクトだ。インフラがほとんどない地域なだけに、乗り越えるべき壁は多い。ボノボだけでツーリズムが成立するかという問題もある。

ボノボの保全という観点で振り返ると、この二〇年はあっという間に過ぎた感がある。私は霊長類学者として、ボノボと彼らが棲む森を知りたいと思い、現地での調査を続けてきた。研究においては生物進化や生物地理学の知識を参照しながらも、現地調査で駆使しているのは、冒頭で述べたような、雨が降ればボノボとともにじっと止むのを待つ、そんな等身大の感覚だ。一方で、私が一緒に仕事をした保全NGOの人たちは、都会にオフィスを構え、プロジェクトの短期目標を果たすのに必死で、保全の当地には、駆け抜けるように訪れることがほとんどだった。

ボノボの保全は、激動の二〇年を経た今、森林伐採と密猟が喫緊の問題であり続けているが、その一方で、地に足を着けた活動のあり方も問われている。地域住民と外部アクターのちがいを思うとき、人は生きる中でどのように土地とかかわることができるのかと考えてしまう。人と土地、野生動物と土地のかかわりについて、等身大の感覚で触れるところから考えてみることを重視したい。人も自然も変化ばかりでは疲れてしまう。エコツーリズムや環境教育というプロジェクトを、より長期の視点から評価してみることが必要だろう。

ボノボの棲む森で生活する人々は、数百年かけて他地域から移住してきた農耕民だ。ワンバ村で調査を続ける日本人研究者は二世代目、三世代目に入ってきた。外部アクターの駆け抜けるような出入りは、これからも続くだろうが、短期間に変化するトレンドに振り回されず、より地域に密着した等身大の視点から、自然と人間の調和にいたる道を考えていくべきだろう。

山口亮太

# 第5章 ボンガンドの森の生活
## ――食用イモムシ「ビンジョ」と蒸留酒「ロトコ」

### イヨンジ村の住民組織

松浦さんがワンバ村でプロジェクトの準備に奔走しているころ、僕は、となりのイヨンジ村のヤリサンガ集落で、調査の準備とプロジェクトの告知をおこなっていた（写真5－1）。船の出発までは約一か月しかなく、輸送する商品の確認など、できるだけ早く動き始める必要があった。イヨンジ村の住民組織はワンバ村とは異なり、いくつかの集落にまたがる大きな組織ＡＤＩ(1)とその傘下の小規模な組織という階層型の構造になっている。以前から僕たちとの交流が深い人たちも参加して

（1）Association pour le Développement d'Iyondje「イヨンジの開発のための組織」

おり、たとえばヤリサンガ集落でお世話になっているパパ・ジャンマリーや、ヤロフィリという集落に住むパパ・エドワールは、ＡＤＩの中心メンバーである。同じくヤロフィリ集落のパパ・ガリや、パパ・ジャンマリーの異母弟でヨトレという集落に住むパパ・カミーユも住民組織の活動に熱心である。彼らに挨拶がてらプロジェクトの話をしてみると、ついにそのときが来たかと好意的な反応が返ってきた。一方、持って行く商品を集める期間が短いから、あまりものが集まらないかもしれないという声も聞かれた。その言葉にやや不安を覚えたが、ＡＤＩの他のメンバーや傘下の住民組織への告知と商品の準備を依頼しておいた。さて、一か月後にはどのくらいの商品が集まるだろうか。

## イヨンジ村の森のキャンプ

プロジェクトの告知と同時に、僕は今回のもうひとつの目的であった、森のキャンプでの調査に向けて準備を進めていた。第2章で記したように、ボンガンドの人々は、焼畑農耕に主軸を置きな

写真5−1　木村さんがヤリサンガ集落に建てた家。現地の人々と同じ材料、同じ建築方法で建てられている。この家を拠点にプロジェクトの告知をおこなった

がらも狩猟・採集・漁労など複数の生業を組み合わせた生活をしており、それらの活動は、彼らの居住空間を取り巻く広大な森の中でおこなわれる。森の中の活動拠点となるのは、リンガラ語でガンダ（*nganda*）と呼ばれるキャンプであり、年に二〜三か月、場合によっては数か月にわたって利用されることもある。つまり、森と村の二重生活というボンガンドのライフスタイルの要となるのが、森のキャンプなのだ。

森に入る前に、ヤリサンガ集落の住民たちを集めて調査の段取りをし、森に入る許可を得る。集落の周辺の森は広大であるが、実は集落ごとに（より正確には、父系親族集団ロソンボごとに）伝統的な利用権が存在し、細かく分割されている。これは、古い集落の位置と関係していることが多い。ボンガンドたちが道路沿いに集住するようになったのは、ベルギーによる植民地政策の一環として自動車道が整備されて以降である（Kimura 1998）。この自動車道は、現在の位置よりも一〇〜二〇キロメートルほど南に位置しており、したがって、イヨンジ村は現在よりも南にあった。その後、一九三三年にベルギー人行政官の命令で自動車道路が現在の位置に移動し、村々もそれに合わせて移動した（Kimura 1998）。僕が調査をおこなう森は、旧集落の跡地周辺にあたっており、ヤリサンガ集落の住民が利用する権利を持っているとされるため、まず彼らから森に入ることへの了承を得る必要がある。あくまで、われわれ調査者は彼らの森で調査をさせてもらっているという立場である。その後、イヨンジ村の村長にも挨拶をし、いよいよ調査へと向かう。目的地は、ヤリサンガ集落の南、直線距離で約二〇キロメートルの森の中に位置するキャンプである。本格的な調査の前の予備調査という位置づけで、二泊三日で森のキャンプの様子を確認することになっていた。

目的地のキャンプまでは丸木舟で川を遡上して移動する（写真5－2、5－3）。手こぎなので船足は遅く、時速五キロメートルも出ればよい方である。舟で移動し始めるとすぐに目につくのは、川沿いに数百メートルごとに点在するキャンプ地だ（写真5－4）。いくつかのキャンプに上陸して滞在者にインタビューをおこなったが、やはり魚や野生動物がよく捕れるようであった。九月から始まる学校の新学期に備えて、七～八月は若者たちが森のキャンプに入ることが多い。彼らは、川沿いのキャンプで魚を捕って燻製にし、ある程度の量になったら森の道を歩いて売りに行くのだ。

写真5－2　丸木舟での移動。川幅は十数メートルで、ひどく蛇行している

写真5－3　前方に倒木あり。どうやって通るのかと思うが、舟は水面からそれほど出ていないため、舳先が通れば通過できる。このときは、先頭のこぎ手が倒木を摑んで無理矢理舳先を沈めてくぐらせ、後ろのわれわれは丸木舟の中に寝そべって通過した。ときには、舟を倒木の下にくぐらせて、人間は木の上を越えて通ることもある

その売り上げは、学費に充てられるか、都市方面の大きな市場で筆記用具や通学用の衣類を安く購入するための資金となる。

目的地のキャンプに到着したのは、二日目の夕方であった。このキャンプは、川沿いではなく、上陸して一キロメートルほど森の中に入ったところに開かれている。土壁の小屋がふたつ建っているが、いずれも壁は半分崩れかかっている。内部には、簡易なベッドと乾燥棚しかない。当然ながら冷蔵庫など使えないこの地域では、捕れた魚や獣肉を保管するには、遠火で乾燥させるのが一番である。ベッドと乾燥棚しかないことから、このキャンプは狩猟と漁労のためだけに利用されていることがわかる。舟のこぎ手たちが小屋の中に残されていた大きな薪を使って、早速調理を始める（写真5－5）。今回の食材は、道中で購入した半分乾燥した獣肉と、デンキナマズである。獣肉と魚を一緒に食べることは村の生活では滅多にないことであり、非常に豪華な食事である。森のキャンプでは肉と魚ばかり食べて、村でよく食べる野菜が恋しくなるという話をよく聞くが、決して大げさに言っているのではないようだ。ちなみに、森のキャンプでの生活とは対照的に、村での生活は動物性タンパク源への飢えに耐えな

写真5－4　川岸のキャンプ。このように、川に面してキャンプがつくられている場合もある。舟を降りればすぐにキャンプなので便利かもしれないが、虫刺されに悩まされそうである

ければならないと言われる。こんなところにも、森と村の二重生活の一面が現れている。

食事を終えて雑談をしていると、いつの間にか日が暮れてきたので、テントに入って休むことにした。僕はなかなか寝付けず、ライトをつけて本を読んでいた。しばらくすると虫の声が聞こえ始め、次第に、ギュワギュワギュワ、ホーエ、ホーエ、ホーエ、という動物の声がすぐ近くから聞こえてきた。こんなことも、村の生活ではあり得ないことだった。

三日目に帰路に着いたが、帰りはほとんど下りなので速度もでる。一八時にヤリサンガ集落から数キロメートル離れた集落に到着し、そこからは歩いて戻った。二泊三日の強行軍だったが、森のキャンプの予備調査は充実したものであった。

写真5–5　キャンプでの調理の風景。男たちは、幼いころからキャンプなどに同行して鍛えられているため、獲物の解体から煮炊きまで、一通りの調理ができる。おいしいが、塩やトウガラシで味付けしただけの豪快な、いわばオトコの料理である。味付けの繊細さや主食であるキャッサバの調理は、やはり女性に軍配が上がる

## ワンバ村の森のキャンプ

予備調査を無事に終えたあと、村で準備を整えてもう一度キャンプへ戻って二週間程度の本調査

をおこなうつもりだったが、それはかなわなかった。イヨンジ村の村長から横槍が入り、キャンプに入ることを禁じられてしまったためである。村長は管轄する村に対して大きな権力を持ち、物事の決定やもめ事の仲裁などをおこなうが、横暴で横柄な、ちょっと困った性格である人が多い。困った性格の人が村長に選ばれやすいのか、それとも村長職が性格に影響を与えるのかよくわからないが、僕は後者だと思う。イヨンジ村の村長は、数年前に若い女性に代替わりしたが、ことあるごとに根拠のないお金を要求するなど、早くも困った人物としての頭角を現し始めていた。ヤリサンガ集落の住民たちも村長から呼出状が届くと露骨に嫌な顔をするところから察するに、あまり慕われていない様子である。この村長とは無理な要求をめぐって大げんかになることもしばしばで、今回も同様であった。

そこで、ヤリサンガ集落のキャンプの調査はあきらめ、ワンバ村で調査をおこなうことにした。フィールド調査には不測の事態がつきものであり、臨機応変に対応することが重要である。ワンバ基地に到着後、松浦さんと打ち合わせをし、基地から五キロメートルほど南西の森の中にあるキャンプに行くことになった。キャンプの持ち主は、フランソワという三〇代の男性である。僕が滞在したときには、彼の妻とその母親、妻の姉夫婦、そして子どもたちなど、総勢二〇名が滞在していた。フランソワによると、彼はこのキャンプに毎年二~三か月程度滞在しているという。このキャンプは、南に少し行くと川が流れており、獣肉も魚も捕ることができる立地だが、一番の目的は「ビンジョ（*mbinjo*）」、つまりイモムシである。

## 食用イモムシ「ビンジョ」

ボンガンドの人々は、コンゴ盆地の住民の中でもとくに昆虫食を好むといわれており、非常に多くの種類の昆虫を食用としている（武田 1987）。その中でもとくに重要なのが、ビンジョだ。ビンジョとはチョウの幼虫の総称で、彼らが食用としているのは三〇種ほどにもなる（加納 1996）。例年六月ころから一〇月ころにかけていくつかの種が順番に大量発生し、人々は老いも若きも森に入って採集にいそしむ。彼らにとって、ビンジョは待ちきれない「季節の味覚」なのである。また、栄養学的にもおそらく重要であると考えられる。先述のように、村での生活では、動物性タンパク源の飢えに耐えねばならないためである。十分に肉や魚を食べたければ、森のキャンプに入る必要があるが、ビンジョは村や畑の周辺の森でも十分な量が手に入る。少し森を歩けば確実にどれかのビンジョが手に入るというのは、不足しがちな動物性タンパク源を補うという点で心強いことだろう。

写真5-6　乾燥したバンゴンジュ

今回僕が調査したのは、七～九月に大量発生するバンゴンジュ（*bangonju*）というビンジョである。バンゴンジュは、タコの足のような根をしたボセンゲ（学名：*Uapaca guineensis*）という木によくつき、十分に成長して終齢幼虫になると地表に降りて、地面に潜って蛹化する（写真5－6、5－7）。ただし、バンゴンジュが地面に潜って蛹になることを知る者は少ない。多くの人々は、バンゴンジュは地表に降りたところが最終段階であり、採集せずに放置するとそのまま死んでしまうと考えている。そのため、バンゴンジュの成虫がどのような姿をしているのか、まったく知られていない。より正確に言えば、バンゴンジュに限らずすべてのビンジョが、それぞれの親であるチョウやガから生まれてくるものだとは考えられていない。六～七月に降る雨（「ビンジョの雨」と呼ばれる）とともに出現し、雨を舐めて大きくなると考えられているからである。他方、ビンジョの親であるはずのチョウやガについては、ボンガンドの母語であるロンガンドには個々の方名は存在せず、全体としてボンボリ（*mbombo-li*）と呼ばれるのみである。バンゴンジュの親（成虫）は何か、という質問をボンガンドの人々にしても、キョトンとした顔をされるか、「勝手に湧いて出てくるから親はいない」という説明があるかのどちらかである。

写真5－7　バンゴンジュがつく木、ボセンゲ

人々が狙うのは、蛹になる場所を探して地面近くを歩く終齢幼虫である。終齢幼虫のバンゴンジュが出始めるのが毎年

七月ころからであり、人々はそのころから森のキャンプへ入って集中的に採集をおこなう。この時期には、ボセンゲの木の下などに大量のバンゴンジュのフンが落ちているのが確認できる。見上げると、バンゴンジュに喰われて葉がほとんどなくなっているのが見えるだろう。地面や木々のあちこちを這っているため、バンゴンジュは子どもでも簡単に捕まえることができる。フランソワのキャンプでの調査からは、午前中に四時間ほど森の中を歩いて採集すれば、大人ひとりで四キログラムほどの幼虫を集めることができるとわかった。捕まえた幼虫は、その日のうちに鍋で茹でたあと、おかずとして調理するか乾燥させて保存食とする。

## 蒸留酒「ロトコ」

無事に森のキャンプでのビンジョの調査を終えた僕は、ワンバ基地に戻って松浦さんと合流し、それぞれの住民組織が集めた商品の確認をおこなった。これには、ワンバ村で最も古い住民組織の代表であるフェリーという若者に同行してもらった（写真5－8）。最近になって代表に就任したばかりの彼は、これまで僕らとの接点がなかったのだが、学校の先生をしているだけあって察しが良

写真5－8　商品を確認する様子。中央左奥の白っぽいシャツを着ているのが、フェリーである

く、いろいろとこちらの意図を汲んでくれておおいに助かった。

商品の確認をおこなうと、今年は当たり年ということで、乾燥したバンゴンジュが非常に多く集まっていた。その次に多かったのはロトコ（*lotoko*）と呼ばれる蒸留酒だった（写真5－9）。ロトコはボンガンドの言葉で別名「火の酒（バーナ・コニ *baana nkonyi*）」とも呼ばれ、キャッサバとトウモロコシを原材料として製造される。正確なアルコール度数はわからないが、ものによってはウィスキーよりも強いと感じることがある。ボンガンドの人々は、「水の酒（バーナーセ *baan'a'ase*）」と呼ばれるヤシ酒や、サトウキビから造る最も伝統的な酒である「バーネーソンゴ（*baan'e'esongo*）」などを飲用するが、現在ではロトコが最もポピュラーな酒となっている。住民のあいだで日常的に楽しまれているほか、会議や祭りなどのイベントで飲まれ、さらに贈答品としても重要である。ロトコの生産と販売は女性の仕事であり、ロトコを飲みたい男性たちは、女性から購入する必要がある。夫婦のあいだでもこのルールは厳格に守られているようだ。

写真5－9　ロトコ。透明度が高いことと、ふれば細かな泡が出ることが良い品質の証しである

ロトコの生産手順は、以下の通りである。収穫したキャッサバのイモを、皮を取り除いて小川のほとりに設けられた水場に浸ける。キャッサバのイモに含まれる青酸性の毒を取り除くためである。主食として食べる場合は六日間水に浸けるが、酒を造る場合は三日でよい。主食用は水からあげる際に、

写真5-10 酒造りに使われるトウモロコシ

写真5-11 ポリバケツで発酵をおこなう

ゴシゴシと洗うようにして甘皮を取り除くが、蒸留酒用は筋を取り除く程度である。水からあげたキャッサバを家に持ち帰った後、ほぐしてから数時間かけて蒸す。蒸し上がったキャッサバは、ゴザの上に広げてよく冷ます。人によっては、一晩そのまま放置する場合もある。冷めたキャッサバは、少しずつタライにはった水の中に入れ、塊が残らないようによくほぐす。そこに、もうひとつの材料であるトウモロコシを投入する（写真5－10）。トウモロコシは、畑での収穫後、よく乾燥させてから実を外す。外した実は、よく茹でた後に、台所の片隅で乾燥させる。そのようにして、一週間ほど保管した後に、ロトコ造りに利用される。トウモロコシの実には、うっすらと黒っぽいカビが付着し、いわば麹としての役割を果たす。水に解きほぐされてドロドロになったキャッサバとトウモロコシをよく攪拌した後に、一〇〇リットル入りの大型のポリバケツに移し、蓋をして一〜二週間ほど屋内の冷暗所で保管する（写真5－11）。このあいだに、ポリバケツの中でキャッサバのデンプンをトウモロコシについたカビが糖にし、それを今度は酵母がアルコールに変えるという、アルコール発酵が展開する。

蒸留には、鉄製の鍋の上にひっくり返した土器で蓋をし、上部に開けられた穴に鉄パイプを固定した専用の器具が用いられる（写真5－12）。固形物をろ過して取り除いた灰褐色のドロドロのもろ

写真5-12 手作りの蒸留装置

写真5-13 ビンに蒸留酒がたまる

みで満たされた鍋を火にかけると、アルコールを含んだ気体が蒸発し、鉄パイプを通ってゆく。鉄パイプの先端は水で満たされた容器を貫通して固定されており、パイプの中を通る気体のアルコールはそこで急速に冷やされて液体になる。鉄パイプの先端からは、酒の雫が流れ落ち、それをビールやウィスキーの瓶などで受ける（写真5－13）。一本目はアルコール度数が高くおいしいが、二本目、三本目となるにつれ、アルコール度数も味も落ちていく。そのため、二、三本目は別に保管しておき、一部を再蒸留して残りに混ぜることでアルコール度数を上げる。インタビューによると、一〇〇リットル入りのポリバケツに満杯のもろみから、全体で約二〇リットルのロトコが得られるとのことであった。こうして手間暇かけて造られたロトコは、日本の焼酎にも似た風味があり非常においしく、ワンバ地域に滞在する楽しみのひとつと言ってよいだろう。

## 河川交易の発展とその実態解明へ向けて

ビンジョの中でもバンゴンジュは比較的大きく食べ応えがあるため、村のみならず都市部での需要も高い。そのため、最近では販売を目的として大量に採集されるようになってきている。茹でて乾燥させたバンゴンジュは、一〇〇キログラムほど入る袋に詰められ、買い付けにきた商人によって船で川下の大都市に輸送される。商人がワンバ地域にまでやって来るようになる以前は、バンゴンジュの詰まった重たい袋を自転車の荷台に載せて、八〇キロメートルほど離れた町まで売りに行ったそうである。

バンゴンジュが売買の対象となったのは、それほど昔ではなく、戦争後の二〇〇〇年代に入ってからのようである。フランソワは、「バンゴンジュは、以前は女性や子どもたちがとるだけだった。でも、集めて売れば金になるとわかってきたから、今では男たちも必死にとるようになった」と話してくれた。バンゴンジュの商品化を引き起こした要因として、都市部で新たにバンゴンジュの需要が高まった可能性や、戦後になってワンバ周辺地域がその供給地として新たに開拓された可能性が考えられるが、その経緯は定かではなく、これを解き明かすことも僕たちの課題である。

もうひとつ、バンゴンジュを含めたビンジョ全体に関してよくわからないことがある。現地では、ビンジョが数年ごとに大量発生と不作を繰り返すことが経験的に知られているが、それがどういう仕組みで起こっているのかということである。人間が過剰に採集することによって次の年の出現数が減るのか、大量発生した年にはビンジョが葉を食べ尽くしてしまい、翌年の出現時期までに葉の再生が間に合わず、ビンジョが出現しても多くが飢えて死んでしまうからか、それとも他の要因か。いくつか可能性は考えられるものの、どれも現時点では推測の域を出ない。この問題は、ビンジョの資源としての持続性にかかわるため、くわしく調査をおこなっていきたいと考えている。

一方、ビンジョと同様にロトコも都市部での需要が高まっているようで、河川交易商人たちは盛んにロトコの買い付けをおこなっている。このようにロトコが地域外に輸送され消費されるようになったのも、どうやら戦争後のことのようである。とくにワンバ地域周辺は、質の高いロトコが生産されることで知られているようで、この地域で造られたものは、近隣を流れるルオー川の名前をとって「ルオーの風（リンガラ語では、モペペ・ヤ・ルオー *mopepe ya Luo*）」という名前で都市住民に親しまれている。もはや、ブランド焼酎と呼んでいいだろう。

河川交易商人の身になって考えてみると、ロトコはビンジョよりも商品として魅力的かもしれない。ビンジョには季節性があるため、一年じゅう手に入るわけではない。それに、年によって出現数が変動するため、苦労して川を遡上して来ても、当てにしていたほど買い付けられないこともありうる。一方でロトコは、一年を通じてどこかで生産されており、探せば必ず手に入るものである。そして、都市部での需要も高く、買って帰れば必ず売れる。河川交易商人たちが、盛んにロトコを買い付けているのもうなずけるというものだ。

以上のようなビンジョとロトコの急速な商品化の進展の原動力となっているのは、河川交易商人たちの活動の活発化であることはまちがいないだろう。これらの産物は従来の徒歩交易においても商品として運搬されていたのだが、船外機付きの船での輸送は規模がちがう。したがって、現在のワンバ地域における経済活動を理解するうえで、河川交易商人の活動は無視できないものとなっている。しかし、彼らの活動、とくに商品の輸送過程と都市部での販売の実態に迫るのは容易ではない。今回の水上輸送プロジェクトには、われわれ自身の手によって実際に商品の運搬をおこなうことで、河川交易商人たちが直面する状況や困難を身をもって体験し、それを通じて河川交易の実態を解明しようという意図もあったのである。

## コラム4 変わりゆくボンガンドとボノボの関係

横塚　彩

「ある男が、木に登ったら降りられなくなってしまってね。ボノボにおんぶされて助けられたことがあるんだよ。だから人間もボノボが罠にかかっていても殺さずに逃がしてやるんだ。ボノボと人間は互いに助け合っているからね」

これは、わたしがワンバ村でよく耳にした伝承のひとつである。ボンガンドの人々は、ボノボの狩猟や摂食を避けてきたといわれており、一九七三年にワンバ地域で野生ボノボの調査が開始されたのも、人々がそのような慣習を持っていたからであった（加納 1987）。

わたしは、ボノボに対するボンガンドの伝統的なタブーに関心を持ち、二〇一四年から二〇一八年まで現地調査をおこなってきた。たしかに、ワンバ村の人々はみな、「ボノボは人間と一緒だから食べてはいけない」とか「先祖の時代からの禁忌があった」と口をそろえて言っていた。ワンバ地域のボノボは、比較的村に近い、女性や子どもも日常的に使用するような森を遊動しており、村人と遭遇することも多い。他の地域では考えられないほど、人間を恐れる様子を見せない。アフリカの多くの地域では、獣肉取引や生息地の減少によって、大型類人猿の生存が脅かされている。そのような報告を目にしていたわたしは、この地域でいまだにボノボに対する伝統的なタブーが存在することに感動を覚えた。

しかし、現地での滞在にも慣れ、リンガラ語も少しずつわかるようになると、村人がボノボに対して「ンデコ・ヤ・ムワシ（*ndeko ya mwasi*：女のキョウダイ）」という言葉をよく使っているのに気づくようになった。「それはどういう意味なの？」と聞くと、「妹や姉が嫁いだら、旦那の家からモソロ（*mosolo*：婚資）をたくさんもらえるだろう。ボノボがいることで、研究者がたくさん来てこの地域に利益が生まれる。だからボノボはンデコ・ヤ・ムワシなのさ」という答えだった。

ワンバ村の住民がボノボを狩猟しない理由として、たしかに人々は「先祖の教え」や「身体的特徴の類似」といった要因を挙げる。しかしわたしは、一九七〇年代から始まった長期研究や、一九九〇年のルオー学術保護区の設立から生じる利益が、伝統的なタブーを強めるもうひとつの要因になっているのではないかと考えるようになった。日本人研究者との交流が長い世代の村人（現在の四〇〜七〇代）の話では、一九九〇年代の戦争中には集落に兵士が駐留していたが、村人らは兵士に命じられても、研究者が戻ってこられるようにボノボの狩猟をおこなわなかったという。ところが、一〇代後半から二〇代前半の村人は、「君たち研究者が来なくなったら、俺たちはボノボを食べるからな」と冗談まじりに言うこともある。このように年代によってボノボに対する認識の差が大きく異なっている。

ワンバ村では、研究者や保護区の存在という、ある意味で「特殊な状況」の中で、ボノボが守られていることは確認できた。では、それ以外の地域では、人々はボノボに対してどのような態度をとっているのだろうか。そこでわたしは、保護区外の村でも調査をおこなうことにした。わたしがまず滞在したのは、ワンバ村の北どなりのセマ村だった。保護区とセマ村を隔てる柵などはなく、人々の交流もあって、村人たち自身でさえも保護区とその外との境界があいまいなようであった。そのためわたしは、セマ村の人々のボノボに対する態度はワンバ村の人々と大きくは変わらないのではないかと予想していた。しかし、実際に調査してみると、約三〇パーセントの村人が「ボノボを食べたことがある」と答えたのである。みずからの生々しい狩猟経験の詳細を語る人もおり、わたしは衝撃を受けた。その一方で、五〇代以降の世代の摂食経験者はかなり少なく、ボノボに対するタブーがまったくなかったわけではないようだった。ではどのようないきさつで、セマ村の人々はボノボを食べるようになったのか。

ひとつめの要因として、ボノボの摂食を忌避しない外部者の影響が挙げられる。セマ村の最北の集落には、一九四〇年代に設立された中学校があり、一九七〇年代にモンゴという民族出身の男性が校長として派遣されてきた。彼はセマ村周辺の森にくわしい猟師に銃を渡してボノボを狩猟させ、捕れた肉は学校関係者に分配したり販売したりしていたという。なかには、ボノボの肉と知らされずに肉を渡された村人もおり、気がつかないうちにボノボの肉を食べていたという事例もあった。この校長は五年ほどでセマ村を離れたそうだが、学校のある集落周辺では、彼の影響でボノボを食べることへの抵抗感が薄れたと考えられる。実際に、セマ村の一〇の集落で話を聞いたが、最北の集落でのボノボの摂食率は約四〇パーセントで最も高かった。

ふたつめに、研究者がワンバ村のみに滞在していることに対する嫉妬心が挙げられる。セマ村で調査をしていると、「こちらにもボノボがいるのに、なぜワンバ村にしか研究者は来ないのか」という質問を何度も受けた。

セマ村の住民は、ワンバ村には、研究活動にともなう雇用の創出や、学校や病院の支援などの利益がもたらされているのを目にしている。そのため、研究者にボノボを殺していることをあえて誇示するために、ボノボの身体の一部を見せにきたりすることもあったという（Tashiro 1995）。

ボノボは畑を荒らすことがあるが、ワンバ村ではそれに対しても寛容な態度を見せる村人が多かった。しかしセマ村では、「畑に何度もボノボが出てきて作物を荒らすので殺したことがある。畑荒らしに悩んでいた村人が多かったので、ボノボが殺されて喜んでいる者もいた」と語る人もいる。こうした寛容性のちがいは、セマ村ではボノボから得られる恩恵がほとんどないことによると考えられる。

第三の要因として挙げられるのが、戦争の影響である。戦時中、村人は短期間ながら森へ避難したが、セマ村ではワンバとは異なり、自家消費用として、あるいは兵士に頼まれて、村人は毒矢などを用いてボノボを狩猟していたようだ。兵士からボノボの肉をふるまわれたことがあるという証言もあった。戦前の一九九一年から戦後の二〇〇八年の間に、ワンバ地域周辺では一〇〇頭近くのボノボが姿を消しており、なかでもセマ村の周辺を遊動していたボノボの集団は、二〇〇八年には一頭も確認されず、すべて狩猟されてしまったか、集団がかなり小さくなって他のグループに移入したと考えられている（Hashimoto et al. 2008）。もちろん、個体数減少の原因のすべてが狩猟によるというわけではないだろうが、一九七〇年以降、セマ村の住民のボノボに対するタブーが少しずつ変容してきたことがその大きな原因となっている可能性は高い。

戦争中には盛んであったと考えられるセマ

村の人々によるボノボの狩猟は、現在はほとんどおこなわれていないようである。その要因のひとつは、保護区に対する認識が強まるとともに、学用品や奨学金等の支援の恩恵も徐々に行き渡るようになっているからだと考えられる。しかしながら、ボノボの狩猟や摂食に対するタブーはやはり弱まる傾向にあり、セマ村のような保護区外のボノボ生息地でいかにボノボを守るかが大きな課題であるといえるだろう。そのためには、どのような方法があるのだろうか。

ひとつは、やはり取り締まりを強化することだろう。ボノボ摂食をほとんどタブー視していない民族のいるある村で、摂食経験がある人に、現在もボノボの肉を食べるのかと尋ねたことがあるが、その答えは「ノー」だった。その理由は、近くに警察が駐留して取り締まりがなされることで、ボノボの肉が流通しなくなったからだという。そして、いまの子どもたちはボノボの肉を食べたことがないし、成長しても食べる機会はないのではないかとも言っていた。警察による取り締まりを強化することが有効な手段であることは、まちがいないだろう。

しかしながら、過去の膨大な事例が示すように、取り締まりを強化することで保全がうまくいくわけではないというのは、保全政策における常識であり、それにかわって現在は、「住民参加型保全」(Community-Based Conservation)が重視されている。ある村では、数年前に国際NGOの支援によって住民参加型保全プログラムが開始されたが、村の権力者がプログラムの代表になり、村人が積極的に保護活動に関与することで、ボノボの狩猟が大きく減少したという。住民参加型保全にも数多くの問題点があるとされてはいるが、ボノボの保全においても、住民の参加が不可欠であることは疑いないだろう。

同時に重要なのは、環境教育である。若い

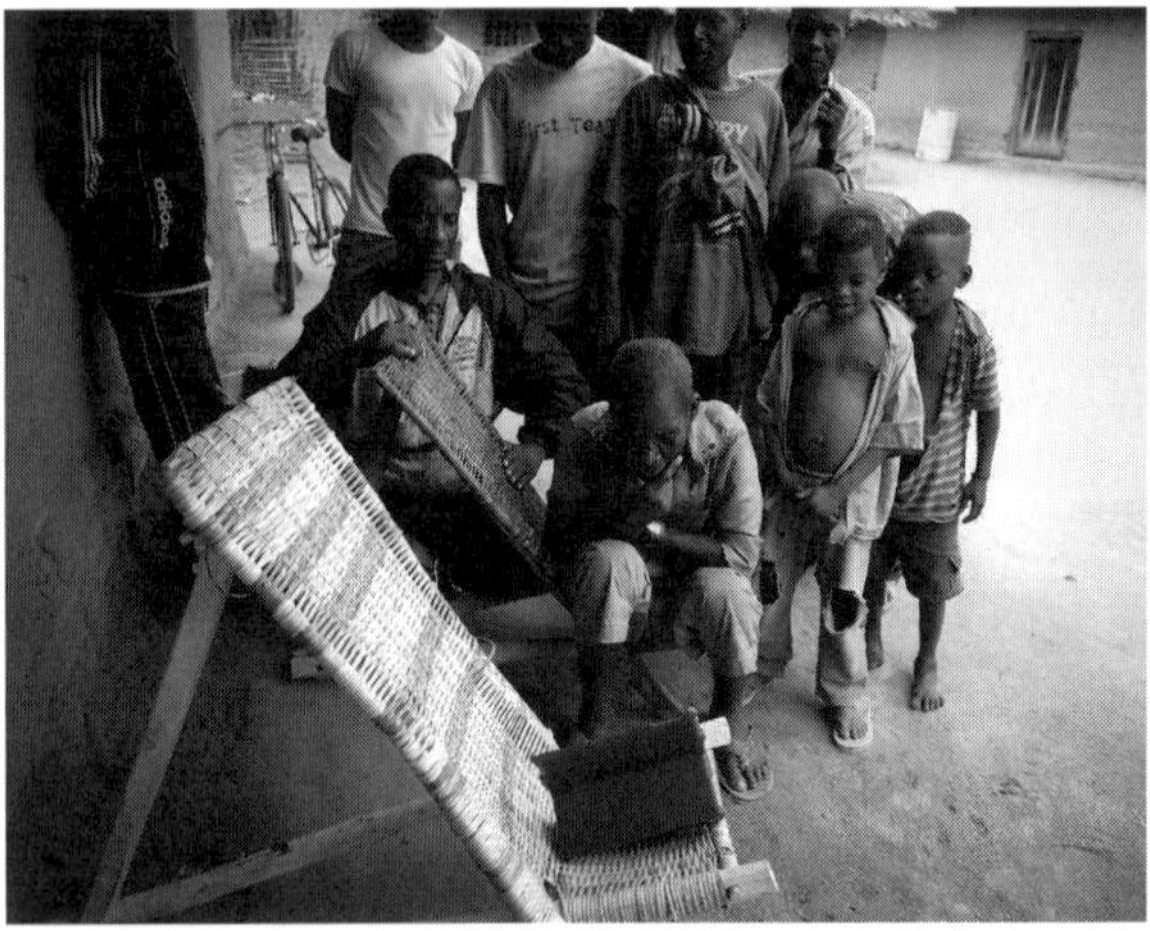

写真 C4－1　カンジの動画を見るボンガンドの人々

村人たちからは、環境教育の一環としての映画鑑賞で、「ボノボが車を運転している映画を見て怖くなった」「ボノボが火を使う動画を見て、やつらは動物じゃないと思った」などという話を聞くことがある。またわたしは、カンジ（アメリカで言語習得研究の対象となっているボノボ）の動画を村人に見せたことがあるが、カンジが絵文字のキーボードを使って「会話」を交わす姿を見て、多くの人が目を丸くして「信じられない」という表情をしていた（写真C4－1）。言葉で「ボノボが人間に近い」ということを説明されるよりも、ずっと衝撃が大きいようであった。伝統的なボノボと人々のかかわりは変容し、それによって人々のボノボに対する認識も現在では大きく変わっているが、このようなメディアを活用することで、もともとボンガンドがボノボに対して感じていた「人間との類似性」という感覚を改めて呼び覚ますことができるのではないだろうか。たんに伝統文化を復興させるというのではなく、伝統文化を現代的文脈に位置づけて、その価値を再創造することが、これからのボノボの保全に重要だと考える。

考えてみれば、ボノボを狩猟の対象とすることを避けてきたワンバ村の住民たちが口を揃えて挙げる理由が、この「人間との類似性」であった。長い時間をかけてワンバ村の住民たちが培ってきた「人間との類似性」という、ボノボに対する距離感とでもいうべきものに学ぶことが、ボノボの狩猟に歯止めをかけることにつながるのかもしれない。

# 第6章　船旅に向けて

松浦直毅

## ワンバの日常

「マッウラサン、オハヨーゴザイマス！」

ワンバ基地の朝は早い。ボノボたちがめざめて動き出すところから観察を始めるためには、当然のことながら、ボノボたちよりもずっと早く起きて支度を整え、ボノボたちが寝ているところまで行かなければならない。そうなると、ボノボ研究者は早朝四時ごろに起きて、五時前には森へと出かけていく。さらに早起きなのが私たちの調査生活を支えてくれている現地スタッフで、料理人たちは、四時には朝ごはんが食べられるように、早朝というより早朝と夜中のあいだくらいの時間から働きに来てくれる。

一方の私はというと、ボノボ研究者が出かけたかなりあと、すでに森で観察が始まっているであろう六〜七時くらいにノソノソと起き出す。それでも自分のなかでは健康的な早起きの時間のつもりだが、冒頭のあいさつをしてくれたベテラン料理人からすれば、ひとりだけ遅くに起きてくるお寝坊さんに見えていることだろう。朝食は、ごはん、前日の夕飯で残った魚や肉、オムレツ、デザートにパパイヤもついた豪華なものだ。変化が欲しいときには、日本から持ってきたふりかけやインスタントみそ汁を添え、さらに調査地ではちょっと貴重な食後のコーヒーで一服するのが、ささやかながら幸せなひとときである。

八月三一日、商品の買い取りについての相談と船旅のメンバーの選出のための住民組織との会合という大きなイベントが午後にひかえているが、その前に貴重な機会として、長期滞在中のボノボ研究者である徳山奈帆子さんの調査（コラム5参照）に同行させてもらうことになった。楽しみなあまり、はりきって必要以上に早い四時前に起きて準備を整える。これまでにもボノボ調査に同行したことがあったが、何度見ても野生のボノボを間近にしたときの迫力は圧巻で、ボノボ観察、というよりボノボ観光と写真撮影を存分に楽しんだ。

## 住民組織との会合（ワンバ村編）

ボノボ観光にすっかり満足し、でも、毎日森を歩く調査は自分にはできないと息も絶え絶えになって一二時すぎに帰ってくると、キャンプに泊まりに行っていたヤマグチ君も基地に戻ってきていた。お互いの活動成果を報告し合い、これから始まる会合に備える。会合は一三時に予定されていたが、ジョルからのガソリン輸送に奔走しているアルフォンスとクリストフが帰ってきていないこともあって、なかなか始まる気配がない。結局ふたりは戻ってこないままだが、今回のプロジェクトに触発されて新たに設立された四団体をふくむ一五団体の代表が勢ぞろいし、予定より大幅に遅れて一五時に会合が始まった（写真6－1）。

ここではまず、商品を「買い取り」にすることが決まった。住民組織が供出する商品を、私たちが村でいわば「立替払い」で買い取って、バンダカに運ぶことにしたのである。商人であれば、村で安く買い取ったものを町で高く売ることで利益を出すわけだが、私たちは儲けることを目的にしているわけではないので、「都市価格」で買い取ることを約束した。「都市価格」については、実際に河川交易をやっている商人ティゾン氏から相場を聞いて確認した。村人にも一部の費用を負担してもらうことにして、価格の五パーセント程度を徴収することにしたが、それでも商人に売るよりもずっと良い値段で、住民組織にとっては大きな利益になることが期待できる。

写真6－1　ワンバ村での会合

買い取りという方法をとったのは、たんに支援だからというだけでなく、村の社会関係を考慮したからでもある。すべての住民組織のメンバーがバンダカに行けるわけではなく、いくつかの組織から代表者を選ぶことになるので、「後払い」にした場合は、選ばれた船旅に同行するメンバー

（以下、選抜メンバーとする）が売り上げを持って帰ることになるが、そうすると、彼らに対して嫉妬や疑惑の目が向けられるおそれがある。実際の売却額を偽って差額を自分のフトコロに入れているのではないかと、他の村人たちから疑われるわけである。協力や相互扶助によって強く結びついた人間関係で成り立っているワンバ地域の社会は、一方で、「自分たち」と「よそ者」とが厳しく対立する社会でもある。プロジェクトを実施するうえで最も注意しなくてはならないのは、プロジェクトがかえって対立を引き起こし、逆効果に終わることである。とくに、復路に私たちが同行することができず、復路以降のことは選抜メンバーに任せることになるので、対立を防ぐよう細心の注意を払って周到に準備しなければならない。

会合では、ワンバ村の選抜メンバー四人が決まった。多数の住民組織を代表して参加する重要な役割であり、私たちにとっても一週間も船の上で寝食をともにする大切なパートナーとなる人たちである。まず、私たちからの「推薦枠」として、以前から調査に協力してきてくれたふたりが選ばれた。ひとりは、中学校の教師で、初期のころから住民組織の活動に参加しており、現在は自分が代表を務める住民組織ＡＮＧＹ[1]の運営をしているデュドネ、もうひとりは、中学校の校長で、ガソリン輸送でも大車輪の働きをしてくれているアルフォンスである。教会関係者による住民組織ＧＣＷＣＮ[2]の主要メンバーであるとともに、デュドネが率いるＡＮＧＹにも所属している。どちらも真

（1）Association de Nouvelle Génération de Yasongo「ヤソンゴ集落の新しい世代の組織」

面目で優秀で、十分に信頼がおける人物だ。

一方、住民組織がそれぞれに候補者を出してきて、その中から誰を選ぶかを議論した。その結果、ワンバ村で最も大きく歴史が長い住民組織ＡＤＥＷＡ[3]を代表してフェリー、二番目に大きい住民組織ＤＷＲ[4]を代表してジャンが選ばれた。フェリーは、まだ二〇代と若いが、やはり学校教師をしている。やり手だが村人ともめることが多かった前代表の娘婿で、最近になってＡＤＥＷＡを任された。彼とはこれまでに一緒に働いたことや議論を交わしたことがほとんどなく、まだ若者でもあるので、出発までの準備における働きぶりを見て人となりを判断することにした。ジャンは、ワンバ村には滅多にいない物腰のやわらかい四〇代で、キンシャサで仕事をしたこともあり、現在は村周辺で小規模な商売をおこなっている。今回は私の森での調査も手伝ってくれており、人柄と仕事ぶりともに申し分ない。

私が心配していたのは、参加者が口々に自分が行くと言い張ってゆずらなかったり、四人では足りないから人数を増やせなどと言ってきたりすることだったが、そうした無理な主張はほとんどなく、満場一致でメンバーが決まった。上に述べた通り、プロジェクトによって地域社会の関係が毀損されるようなことを最も避けなければいけないわけだが、これまで数年間にわたって培ってきた関係や、今回の期間中の地道な準備と根回しの甲斐もあって、こうしてみんなが納得したことに安堵した。ワンバ村の選抜メンバーとして、ベストといえる布陣が整ったといえる。

## 商品の確認

会合翌日の九月一日、ヤマグチ君とふたりでワンバ村のそれぞれの組織を訪ねてまわり、集まった商品を確認した。住民組織に対して商品を集めてもらうよう呼びかけたときには、ふたつの心配があった。ひとつは商品がほとんど集まらないことであり、もうひとつは逆に、商品が集まりすぎてしまうことである。商品の確認（写真6－2）にまわってみると、このうち後者の心配が当たっていることがすぐにわかった。乾燥イモムシをパンパンにつめた一〇〇キログラムほどの袋が多数、二五リットル容器入りの蒸留酒がこれまたたくさん、そのほか農作物や家畜など、とて

写真6−2　商品の確認をするヤマグチ君

（2）Groupe de Chrétiens de Wamba pour la Conservation de la Nature「自然保護のためのワンバのキリスト教徒のグループ」
（3）Association de Développement de Wamba「ワンバの開発の組織」
（4）Debout de Wamba pour la Reconstruction「再建のために立ち上がれワンバ」

写真6－3　集まった大量の商品

もではないけれど運びきれそうにない量の商品が用意されていた（写真6－3）。計算したところ、一五の住民組織を合わせて、乾燥イモムシ七一袋（一袋＝約一五〇ドル）、蒸留酒六〇本（一本＝約二八ドル）、そのほかに、ヤシ油、コメ、トウモロコシ、キャッサバ、干し魚、そして家畜も多数集められ、総額は二万ドル分近くにのぼった。金額としても、私たちが立て替えられる額をはるかに超えている。

　これだけの量の商品が集まったのは、住民組織の協力の賜物だともいえるが、一方で、彼らにとってみれば、村にいながら都市価格で商品が売れる絶好のチャンスであり、ここぞとばかりに村じゅうから商品をかき集めてきたからでもあるだろう。荷物の積載量と私たちの予算を考えると、買い取れるのは一部だけということになるが、それで納得してもらうしかない。そのかわり、買い取ったものだけを運ぶという計画を変更して、選抜メンバーが所属している団体の商品は、選抜メンバーが責任をもって管理することを条件に、その一部を運んで売るのを認めることにした。

　炎天下のなかで村を歩きまわり、一五団体が集めた大量の商品の確認を終えたときにはヘトヘトに疲れていたが、のんびり休んではいられない。何をどれだけ買い取るかを決めて、その結果を伝えなくてはならないからである。ヤマグチ君とふたり、夜遅くまで手持ちのお金を数えて買い取り可能な量を計算し、組織ごとのバランスを考えて買い取りの量を調整して、ようやく買い取りする商品のリストが完成した。集まった商品の一部だけではあるが、それでも約二五〇〇ドルにもおよんだ。

## 住民組織との会合（イヨンジ村編）

九月二日の朝、夜遅くまでかかって作った買い取り商品リストをワンバ村の人々に配布し、私とヤマグチ君は、今度はイヨンジ村に向かった。ワンバ村と同じように、住民組織との会合と集まった商品の確認、そして買い取りについての相談をおこなうためである（写真6－4）。となり村といってもワンバ村からは一〇キロメートルほど離れていて、さらにイヨンジ村自体が二〇キロメートルほどの長さに広がっているのでバイクでまわるわけだが、端から端まで集落を行き来するのは大変である。

ここでもやはり、「集まりすぎ」が問題となった。はじめに説明をしたときに、「商品なんて全然用意できないよ」と嘆いていたのはなんだったのか。すべて買い取ることはできないので、これもまた数量を調整しなくてはならない。ひとつ興味深

写真6-4　イヨンジ村での会合

かったのは、ワンバ村とイヨンジ村で集まった商品にちがいが見られることである。たとえば、ワンバ村は乾燥イモムシが大きな割合を占めていたが、イヨンジ村ではその量はワンバ村ほど多くはなく、かわりに干し魚がたくさん集まっていた。このことがそのまま地域の環境や資源量を表しているわけではないが、たしかにイヨンジ村はルオー川により近いことから漁労が盛んにおこなわれており、それぞれの村の特徴の一端は示されているといえるだろう。

イヨンジ村での会合も、木村さんとヤマグチ君が過剰な要求にいつもさんざん困らされているのがウソのように平和的で円滑に進んだ。四人の選抜メンバーについても話し合われ、村の人々の推薦で四人が決まった。ひとりめは、イヨンジ村最大の住民組織ＡＤＩのメンバーで、薬売りなどをしている若者、ブランシャールである。会合のときも食事のときも中身がパンパンにつまったリュックを背負っておろさないのが気になるが、何が入っているのかは謎だ。これまであまりかかわりがなかった若者で、どんな働きをしてくれるのかも未知数である。ふたりめは、白人の父親を持つ混血男性で、牧師でもあるパパ・ガリだ。キンシャサで働いた経験もあり、外見が少しちがっているだけでなく、ものの考え方や態度もほかの村人たちとは一線を画す紳士である。三人めは、おなじく牧師でもあるパパ・カミーユである。おじいちゃん、と呼ぶのはまだ失礼な年齢だが、今回のメンバーでは最年長の落ち着いた寡黙な年長男性で、知恵袋といったところだろうか。最後のひとりは、ヤリサンガ集落の女性をめとった若者フィデルである。小学校の先生をやっており、ヤリサンガ集落の関係者ではめずらしい（?）好青年だ。

会合の場で相談のうえで、買い取る商品の量と金額も決めた。買い取れるのは集まった商品の一部のみだということもすんなり納得してくれて、異論はまったくといっていいほど出なかった。長く人類学の調査をしていると、こういうところで話がこじれて場が紛糾するようなことには慣れていて、むしろ、そういうもめごとがあった方が調査としては面白いとさえ思ってしまう悪癖が身についている。しかし、今回の一連の話し合いは、拍子抜けするくらいにものわかり良く進んだ。調査としてはどこか物足りないようにも思えてしまうが、プロジェクトとしてはスムーズに進められておおいに助かる。

イヨンジ村での仕事を終えてワンバ村に戻ったときも、朝に配布した買い取り商品リストに対して納得がいかないという文句がつぎつぎに出るのではないかと心配しており、ことによると私たちの帰りを待つ陳情者が基地の入口に列をなしているのではないかとまで想像していたが、その予想はまったく裏切られ、こちらの提案はすんなりと受け入れられたようだった。前日に続いて夜ふかしをしてイヨンジ村の買い取り商品リストを作成し、翌九月三日にイヨンジ村の関係者に配布した。さあ、これであとは商品が集まるのを待ちかまえるだけだ。

## ふたたび船問題

私たちが住民組織との話し合いと商品の確認に奔走しているあいだに、ワンバ村の南端、ルオー川のほとりにあるリンゴンジには、バ組の船が到着していた。バ組を率いているのは、ちょっとひょうきんな顔で温和な人柄だが、若いころにはさまざまな仕事と船旅を経験してきたパパ・デュドネ（われわれはひそかに「組長」と呼んでいた）で、その片腕ともいえる操縦士は、こちらも百戦錬磨の航行経験をもったパパ・デサ（以下、船長）である。

船の手配は済んでいるはずだったのだが、ここにきて村の丸木舟が小さすぎることが問題になった。当初は、バ組の大きな丸木舟を真ん中にして、ワンバ村とイヨンジ村の丸木舟を両側につないだ三艘連結式にする計画だったが、バ組の舟と村の舟の大きさが全然釣り合わず、連結が難しいことがわかったのである。村のためのプロジェクトなのだから、村の舟を使うこと、しかもワンバ村とイヨンジ村のそれぞれをつなぐことに象徴的にも意味があると考えていたため、この問題をどうするかさんざん悩んだ。しかし、船が安全に動いてくれなければ何にもならないので、結局村の丸木舟を使うのはあきらめ、バ組からもう一艘大きな丸木舟を借りることにした。その舟はベフォリにあるため、リンゴンジから人と荷物を載せてまずベフォリに移動し、ベフォリで舟の連結と組み立て作業をおこなうことになった。はじめの契約から一艘増えた分、余計にレンタル料がかかることになったが、これで本当に船の準備は整った。

## リンゴンジ、リゾート地？

九月四日、私とヤマグチ君は、運ばれてきた商品を確認して料金の支払いをおこなうために、リンゴンジに向かった。テントを持ち込んで、二泊三日のミニキャンプというところだ。小高くなったところから眼下に川が望める風光明媚な場所で、ちょっとしたリゾート地という風情がある（写真6－5）。「風光明媚」も「リゾート地」も村の感覚でのもので、実際にはただの辺鄙な小集落なのかもしれないが。かつては、ここにアブラヤシやコーヒーのプランテーションが広がっていたというが、紛争期に放棄されて、現在はほとんど利用されていない。近年になって、ワンバ村の一部の人たちがリンゴンジの再開発に乗り出しており、少しずつ住人が増えて、放棄されたプランテーションを再興させる動きも進んでいる。

写真6−5　リンゴンジのキャンプ地

写真6−6　集まった商品、これでもまだ一部だけである

九月五日、村から商品がつぎつぎに運ばれて来た。その多くが自転車の荷台に載せられてきたが、なかには徒歩で運んで来る者もいた。ごく少数のバイク所有者はバイクでやって来る。イヨンジ村からは陸路だと二〇キロメートル以上あるので、ルオー川を下って丸木舟でも運ばれて来た。大量の商品をすべてチェックし、数えまちがいのないようにお金を確認して支払う作業はとても骨が折れるものだったが、どんどん荷物が積み上がっていく様子は壮観でも

写真6-7　運ばれてきたガソリン

あった（写真6－6）。商品とともに、ワンバ基地で保管していたガソリン八〇〇リットルも運ばれた。小柄な体つきからは想像できない体力と根性を持ったデュドネが中心になり、三〇リットルのポリタンク二五個、重さにして約六〇〇キログラムのガソリンが丸木舟で運ばれた（写真6－7）。

丸一日かけてひたすら買い取り作業をしたあとは、お楽しみの食事である。すぐ近くの川からとってきたばかりの新鮮な魚料理に舌鼓を打ち、ロトコをチビチビと飲んだり、畑でとってきたばかりの豆を挽いたコーヒーを飲んだりしながらみんなでおしゃべりする。ヤマグチ君とは今回ずいぶん長い時間を一緒に過ごしたが、頼りになって気心も合うパートナーで、大きなアブラヤシの木の下で星を眺めながら語る時間は、なにより楽しいものだった。さて、いよいよ出発に向けた準備作業は最終段階である。

## 出発に向けて

九月七日、リンゴンジでの商品買い取りを終えてワンバ基地に戻る。荷物をまとめて、いよいよ出発の最終準備である。ワンバ基地に着くと、ちょうどタカムラが到着したところだった。身を削るような調査を終え、バイクの長旅をしてきたばかりで枯れ果てたタカムラと、リゾート生活を楽しみ、おびただしい量の商品取引をして興奮が冷めやらない私たちとでは温度差がありすぎて、はじめはどこかよそよそしく、かみ合わない感じもしたが、すぐにふだんのやりとりに戻って、これまでのことを振り返り、これから始まる旅のことを語り合った。

写真6−8　リンゴンジに向かう

ワンバ村での最後の夜を楽しく過ごしたあと、九月八日にふたたびリンゴンジへと向かった（写真6−8）。出発前夜、住人へのお礼もこめてお祭りを開催した。商品の中からさっそくブタ一頭、ヤギ一頭、アヒル二羽をつぶし（私たちが立て替えて買っているので、実質私たちのものなのである！）、そのほかにも食べものとお酒を用意してふるまった。ようやくここまでたどり着いたことにひとまず満足するとともに、かならずプロジェクトを成功させたいという思いを新たにした。ここにいたるまでにも紆余曲折があり、さまざまな問題もあったが、いよいよ出発のときがきた。

## ふたたび燃料問題

すべての段取りが整い、あとは出発を待つばかりと思いきや、九月九日の未明になって次なる問題が持ちあがった。「ドクター・マチュ（松浦のこと）！ドクター・マチュ！」という組長の甲高い声に目を覚ましてテントからはい出てみると、険しい顔で「SAE40がない」という。SAE40とは、選抜メンバーを擁するご当地アイドルのこと……ではもちろんなく、ガソリンと混ぜて使うエンジンオイルのことだが（フランス語的にサエ・カラントと読む）、それが足りないというのだ。用意すべきもののなかには当然入っていたわけだが、ここまですっかり忘れてしまっていたのである。出発直前の土壇場になってこれまでで最大の危機が訪れた。何とかして調達する以外に解決策はない。

さいわい、近くにバイクが二台あった。一台がワンバ村に向かい、あるだけのSAE40を調達して帰ってくれれば、それでとりあえず船は動かせる。もう一台はジョルまで行って必要な量のSAE40を手に入れて、そのまま陸路でベフォリに行き、船の到着を待ち受ける。この重要なミッションには、組長みずからが名乗り出た。出発できない事態になるのかと肝を冷やしたが、なんとか解決策が見つかり、これで本当に出発を待つばかりとなった。

コラム 5

# ボノボを追って コンゴの森を歩く

徳山奈帆子

日本からはるばるワンバ地域までやってくる研究者には、大きく分けて二通りの目的がある。松浦、山口、高村さんらがおこなっているような人類学的研究、そして、ワンバ地域に生息するボノボの研究だ。ここでは、ワンバ地域での研究活動のもう一本の柱であるボノボ研究について紹介したい。

ワンバ村までの道のりや現地での生活の苦労について、これまでにみなさんが切々と語っているが、どうしてそんな大変な場所にわざわざ行くのだろうか？ それは、そんな苦労を吹き飛ばすほど、ボノボが研究対象として重要かつ面白い動物だからだ（写真C5−1）。ボノボはチンパンジーと並んでヒトと最も近縁な動物であり、ヒトの進化を考える

写真 C5−1　ボノボの集まり

うえで、それらの研究を欠かすことはできない。この二種は、非常に近縁ながら大きく異なる社会性を持っている。たとえば、チンパンジーはオス優位・オス中心の社会を持っているが、ボノボはメスがオスよりも優位に振る舞うし、メス同士の方がオス同士よりも仲が良い。チンパンジーでは集団同士が常に敵対的で、集団同士の殺し合いも観察されるが、ボノボでは集団同士が頻繁に出会い、異なる集団の個体同士で毛づくろいや遊びなどの親和的な行動が見られる（Sakamaki et al. 2018; Tokuyama et al. 2019）。チンパンジー型社会のみを祖先形質とした場合と、ボノボ型社会も考慮に入れた場合とでは、ヒトの社会の進化に対する考え方が変わってくるのである。たとえばヒトの集団間は、ときに強い敵対関係に発展して「戦争」が起きてしまうというチンパンジーに似た一面を持つ。一方で集団同士、または異なる集団に属する個人同士で協力関係や親和的関係を築くことができるというボノボに似た性質も持っているのだ。

しかし残念ながら、チンパンジー研究に比べてボノボ研究は大きく遅れてしまっている。アフリカの赤道付近の国々に広く生息するチンパンジーに対して、ボノボはコンゴにしか生息しておらず、しかもコンゴの政情不安の影響によって十分な調査がおこなわれてこなかったからである。コラム1やコラム3に書かれているように、一九七三年からボノボの調査が続けられてきたワンバ村でも、戦争の影響で一〇年以上にわたって調査が中断された。しかし二〇〇三年に調査が再開されると、日本人研究者を中心にイギリス、カナダ、フランス、韓国など世界じゅうからボノボの研究者が集まる国際的なボノボ研究の拠点となり、さまざまな研究成果が発表されてきた。

たとえば、ワンバ周辺に生息する四集団（そのうち毎日追跡・観察されているのは二集団）について、人づけと個体識別を進めた結果、ボノボの集団同士が出会う要因や、集団間の個体同士の社会関係などがあきらかになりつつある。新たな研究手法が開発されたことで、糞や尿からのＤＮＡやホルモン試料の抽出が容易になってきて、直接観察しただけではなかなかわからない遺伝的関係やホルモン量と行動の関係といった研究も盛んになってきている。ボノボのメスの発情の長期化とさまざまな性・年齢の組み合わせでの性行動は、挨拶などのコミュニケーションの手段と考えられてきたが、生殖ホルモン量を分析することで、実際に受胎の可能性がないときにも頻繁に性行動をおこなっているという裏づけが取れつつある（Ryu 2017）。集団間の交尾が頻繁に観察されるものの、集団外のオスを親に持つ子どもはほとんど生まれていないこともわかってきた（Ishizuka et al. 2018）。私自身は、修士学生だった二〇一二年からボノボの社会関係について調査をおこなってきた。博士課程のあいだはメスの親和的・協力関係と集団内でのメスの優位性をテーマにしており（Tokuyama & Furuichi 2016）、博士取得後の現在は、上記のように集団間にどのような社会関係が築かれているかを中心テーマにしている。

ボノボ調査はとにかく歩く。まだ真っ暗な早朝四時に起き、朝ごはんを胃に流し込む。そんな早朝から食欲などないのだが（想像してほしい、おかずはヤシ油たっぷりの鶏の煮込みなのだ）、食べねば体力が持たない。四時半ごろ、森の案内人であるトラッカーが迎えに来て、前日に確かめてあるボノボの寝場所へと出発する。日によってちがいはあるが、調査基地から寝場所までは平均一時間半ほどかかる。寝場所に到着するころには、日がなかなか差し込まない森の中もうっすらと明るくなってきている。ボノボたちは、起きるとさっそく朝ごはんを探しに森を歩き出す。調査者は、ボノボの寝場所にたどり着くまでは調査用に開いた小道を歩くが、ボノボを追うときには、彼らが歩く通りに歩かなくてはならない。ボノボはどこに道があるのかなど気にせずに、行きたい場所へ森の中を一直線にスイスイ進む。私は藪をかき分け、木の根につまずき、ツルに引っかかり、トゲトゲの草に刺され、悪戦苦闘しながらついていく。前を歩いているトラッカーが最低限の草木は切り開いてくれるのだが、それでもなかなかに大変だ。こんなにも人間の二足歩行の不便さを感じることはない。私たち人間がツルに引っかかっているあいだにボノボが視界に入らない場所まで先行してしまうこともあるが、トラッカーはボノボの足跡をたどることができるので、追いかけていって再度発見することができる。子どものころから森で狩猟をしながら育ったトラッカーたちは、ボノボが踏んだことでかすかに曲がった草や、乱れた落ち葉などを頼りにボノボが進んだ方角を知ることができるのだ。私の目にはほとんど痕跡は見えないし、見えたとしてもイノシシとボノボの通った跡のちがいもわからない。初めてトラッカーの追跡を見たときは、「アラゴルン（『ロード・オブ・ザ・リング』の登場人物で、仲間をさらったオークを数日間かけて追跡する）みたいなことって本当にできるんだ！」と感激したものである。

ボノボが朝食場所を定めて木に登ると、トラッカーと協力してデータを取り始める。私の場合は社会行動を研究対象にしているので、誰が、誰に、何をした、というのを延々とノートに書き続ける。ボノボたちには全員名前が付けられていて、それぞれ顔や身体の特徴で見分けることができる。ただ、ボノボたちが大好きな甘い果実は主に樹冠になっていて、二〇〜三〇メートルある木に登られると顔は見えない。そんなときはどうするか？お尻で見分けるのである！ボノボのメスはピンク色に膨らんだ外性器（リンガラ語で「マタコ」と呼んでいる）を持っており、その大きさと形は千差万別である。たとえば、ある集団のメス「カボ」は、マタコがカボチャのようにボコボコしている。別の集団の「サラ」のマタコは、大きくて表面がツルツルと滑らかだ。オスも睾丸の色や形で見分けられる。ずっと後ろをつけ回し、双眼鏡でお尻を見つめ、何をしているのか記録する。つまり、やっていることは「ストーカー」で、人間相手だったら逮捕されるだろう（写真C5－2）。しかも、ボノボがうんちやおしっこをすると大喜びでそれを集めにいくのだ（排泄物からＤＮＡを採集したり、ホルモン量を測定したりするためである）。

写真 C5－2　ボノボ観察の様子

お腹いっぱい果実を食べた後は、昼寝の時間だ。樹上で枝を折って直径一・五メートルほどのベッドを作って、とても快適そうだ。昼寝をしない個体は毛づくろいを始め、子どもたちは集まって遊んでいる。なんとも平和な光景で、観察しているこちらも穏やかな気分になる。もちろん目はボノボに釘付けのままだが、私たち観察者もやっと腰を下ろして休むことができる。しかし、コンゴの熱帯雨林は私たちに一時の平穏も与えてはくれない。私たちが一か所に腰を落ち着けるやいなや、虫たちが襲ってくるのだ。雨が降っていなくて地面が乾燥しているときには、現地で「ベロ」と呼ばれているハリナシバチがやってくる。塩分が大好きで、私たちの汗に惹かれてやってくるのである。五ミリメートルほどの小さなハチで、名前の通り刺すことはないので実害はないのだが、一〇〇匹単位で体に群がってきて、耳の中、目の中、服の中、とにかくどこにでも潜り込もうとしてくる。非常にうっとうしい。あまりすばやくなくて、群がってくる端から叩いてつぶせるのだが、そうすると独特の青臭い匂いがして不快だ。叩いても叩いても次から次にやってきて、気が狂いそうになる。雨が降ると、汗の匂いが拡散しないからかベロはやってこないのだが、そのかわり「ボンボ」と呼ばれる目に見えないほど小さいブヨがどこからか寄ってくる。これもまた、顔に群がって血を吸ってくる。吸われるときにはチクッとした痛みがあり、あとからかゆくなってくる。顔に手ぬぐいを巻いたり、虫よけにハッカオイルを付けたりするが、どれも気休め程度の効果である。

こうして虫たちと戦いながらデータを取り、ボノボが昼寝を終えて次の場所に動き始めれば、それについていってまたデータを取る。そんなサイクルを数回繰り返し、薄暗くなってくるとボノボたちは一斉に声を上げ出す。「サンセットコール」と呼ばれている行動で、まるで「ここら辺で寝ようか」と言い合っているかのようだ。昼間、集団から少し距離を取って採食をしていた個体がいても、この声を聞くと集まってくる。ボノボがベッドを作り始めれば調査は終了。森の中はもう真っ暗で、ヘッドライトの光を頼りにまた一時間半かけて村に帰る。

基地では、毎晩のミーティングでその日見られたボノボの名前、発情状態や採食物を記録する。晩ごはんを食べ、バケツ一杯のお湯をもらって体を洗うと、もう就寝時間。翌日の四時起きに備えて早々に眠りにつく……。ただし、このようなストイックな調査スタイルを誰もができる訳ではない。丸一日の調査がしんどい場合は、途中で帰ることもできる。軟弱な私は、基本的に明るいうちに調査を切り上げ、その後をデータ入力の時間にしている。

写真 C5－3　森のなかでボノボと出会う村人

ワンバ村ではこのようなボノボ調査が、四〇年以上にわたって継続されてきた。調査は村人たちの協力なしでは決して成り立たない。トラッカーがいなくては、私たちはボノボを見つけることも追跡することもできない。水道もガスもない村では、薪での調理や水くみをおこなってくれるコックがいなければ、

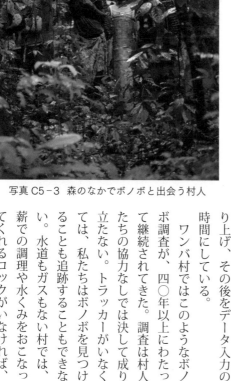

調査をおこなう気力も時間もなくなってしまう。そしてなにより、村の人々はボノボとボノボが暮らす森を大切に守ってきて、彼らの森で私たちが調査をおこなうことを許し、見守ってくれている。ワンバ村では銃を使った狩猟と一次林の伐採は禁止されているが、村人は伝統的な狩猟や採集のために日常的に森に入り、ボノボと同じ森を使って生きている（写真C5－3）。われわれ調査チームも、トラッカーやコック、守衛など約三〇人を村から雇うとともに、奨学金や病院・学校建設などの援助をおこなってきた。村人と研究者が「持ちつ持たれつ」の関係を続けてきたのだ。しかし、長く続いているからこそ援助活動に対するマンネリ感もあり、新たな切り口の支援を再三にわたって求められていた。とはいっても、ない袖は振れないと困っていたところに、水上輸送プロジェクトが企画されたのだ。村じゅうがその話で持ち切りになり、大いに盛り上がった夏だった。

※ワンバ村でのボノボ研究についてもっと知りたい方はぜひ以下をご覧ください。

- Fcebook ページ：https://www.facebook.com/bonobo.at.wamba/
- Instagram アカウント：Bonobo research at Wamba（@wambabonobos）
- Twitter アカウント：WCBR（ワンバ、ボノボ・人類学研究チーム）（@wambabonobos）

# 第7章 魚の捕り方を一緒に考える

高村伸吾

## フィールドで得た希望

松浦さんと山口さんがワンバ地域で出航準備を整えているあいだ、僕は東部のイサンギ周辺で調査を続けていた。紛争により現地の流通網がいかなる打撃を受け、和平合意後の十数年で人々がそれをどう回復しようと試みてきたのか。国家の崩壊を経験したコンゴの流通再建を考えるうえで、そのカギをにぎる零細商人の理解を欠かすことはできない。彼らが何を望み、何を成し遂げ、現在どんな挑戦をしているのか。人々の取り組みを丹念に記述することができれば、紛争後の社会を復興するための見通しが得られるのではないか。そう考えた僕は、零細商業の実態やこの地域の社会変化についてくわしく調べるために、商人に密着してイサンギの各地を丸木舟で移動するという日々を送っていた。

零細商人の丸木舟に同乗し、彼らとともにコンゴ河を往復しながら、定期市をめぐる日々が続く

写真7−1　市場をめぐる

（写真7−1）。早朝から市場に入り、無数の人々をかきわけて商人への聞き取りをおこなう。当初は調査するのがあれだけきつかった市場も、今ではまるで自分の庭であるかのように感じられて居心地が良い。どの辻を通っても、「シンゴ、イモムシあるけど食うかー？」「こっちにはマデス（インゲンマメ）の煮物があるぞ！」と食事の誘いがかかる。ときおり、「ワチョー」という奇声が飛んでくるが、すぐにモイエコリという友人のイタズラであるとわかる。現地の人々とともに丸木舟をこぎ、市場で夜を明かす。彼らと同じように生活し、一緒に語り、ときに悪ふざけをして、次の市場をめざす。そんな数年を経て、ようやく僕も彼らの仲間として認められたのかもしれない。コンゴの人々は、一度仲間として受け入れた者に対して途方もない優しさを示してくれる。

　人々の変化には、僕自身が研究と平行しておこなった地域の課題解決事業も大きく影響していたにちがいない。「河の道」を介した商業活動は活発化しているが、社会経済の復興には、陸上輸送インフラを回復する必要がある。しかし、紛争によって国道上にあった橋のほとんどが崩落し、いまだ再建のめども立たずに放置されたままだ（Takamura 2015）。国によるインフラ整備が期待できないこの地域では、草の根的な課題解決の可能性を模索し、人々の手で活用できる成功モデルを創出することが求められる。こうした考えにもとづいて僕は、現地の住民組織のメンバーとともに橋の再建に取り組んだのである（写真7－2）。そして、二〇一六年七月からおよそ二か月間、延べ四九三名の参加と協力を得て、誰からも不可能といわれていた全長二〇メートルを超える橋の再建に成功した。ただ状況を傍観するのではなく、当事者として一歩踏み込み、事態の解決をめざす。そんな考えのもとで取り組んだ

写真7－2　橋の再建

橋再建の報は、地域の人々のあいだに広く伝わり、「シンゴはもうイサンギの子どものようなものだから」という心遣いをそこかしこで感じるようになった。話を聞くことすら難しかった土地の名士たちも、コーラをふるまってくれたり、彼らが取り組んだ事業について積極的に話してくれる。これまでの調査にはトラブルや緊張感がともなったけれど、ようやくこの土地の根っこに触れながら調査できているという実感が生まれた。

そうしておこなった広域調査からわかったのは、小さな変化が地域を変える大きなきっかけになりうるということである。紛争による流通の崩壊以降、人々はまず丸木舟によって都市への流通経路を切り開き、その後、船外機やバリニエと呼ばれる新たな平底船などの新技術を導入することで、紛争以前とは異なる新たな流通体系を築いている（写真7－3）。たとえ小さな一歩で

写真7−3　河川流通を支える丸木舟とバリニエ

も、人々が協力して何かを形にすることができれば、それは自然に地域全体へと波及していく。もちろん、コンゴが抱える課題は一個人でどうにかできるような並大抵の代物ではないけれど、紛争後の過酷な状況に直面するなかで、人々は国に頼ることなくみずからの手でそれを解決しようと試みている。そうした人々を結びつけ、ともに協力しあえる関係性を築くことができれば、次の世代に何かを手渡すことができるかもしれない。自身の手で社会を成り立たせようと奔走している彼らの挑戦をつぶさに理解するにつけて、調査開始時に感じていた「どうしようもない」という僕の先入観は、「どうにかなるかもしれない」という希望へと変わっていった。

　コンゴの人々は、最善手とはほど遠い方策を組み合わせながら、ただ自分だけを頼りに精いっぱい生き抜いている。彼らの生活環境は凄まじい。そして、そうした人々を対象としたコンゴでの長期調査は、正直に言ってとてもしんどい。彼らの生き方に歩調を合わせていると、まるで自分の命をすり減らし、使い果たしていくかのような感覚すら覚える。それでも僕は、過酷な労働や山積する課題と向き合い、貪欲に社会を再建しようとする人々の姿を間近で見ることができた。それはまさに、荒涼とした砂漠に一粒ずつ草木の種を植えるような、まったく見通しのつかない骨身を削る格闘である。しかし彼らは、想像を絶する困難と対峙しつつも、精いっぱい喜んだり、悲しんだり、過酷な現実を陽気に笑い飛ばしたりしながら、明日のために種を植え続けている。

## 現地の人々とどう向き合うか

二〇一七年九月五日、水上輸送プロジェクトに合流するためにイサンギを出立する朝、突然嬉しいニュースが舞い込んできた。僕がかかわった国立教員大学の日本語講座の一期生だったヤファからのメールだ。ヤファはとくに優秀な生徒のひとりで、日本語教授の資格を取得した後、僕から現地の授業運営を引き継いでいた。メールによると、彼は、何度目かの挑戦の末に念願だった国費留学試験に見事合格し、まもなく日本に行くのだという。この数年間、日本語講座を運営するなかで、ヤファがコンゴと日本の文化の狭間で苦しんでいたことはよく知っていたので、ようやく彼の努力が報われたことがとても嬉しかった。コンゴを飛び出し、日本で学ぶ。コンゴと日本が対等に向き合うためには、それぞれの国を行き来し、言語だけでなく思考様式そのものを翻訳できるような人間が必要だ。そのような人材を育成する目的で二〇一一年に日本語講座を開設してから六年、彼は交わした約束を現実のものにしてくれた。

そんなとき、ふっと浮かんだのは、一か月前に交わした松浦さんとの会話だった。第1章で述べられているように、松浦さんと僕とのあいだにはどのように研究に取り組み、いかに地域に貢献するかというスタンスにちがいがある。本プロジェクトを通じて人々とどう向き合っていくのか、松浦さんがワンバ村へと出発する前日の晩、僕らは真剣に意見を交わした。松浦さんと僕のどちらが正しいというわけではなく、それらは互いに補い合うものだろう。ただ、僕がなぜ現在のスタンスを選択するようになったのか、相手との関係性やプロジェクトの持続性について何を重視しているのかをここで示しておきたい。

僕は、日本語講座開設の当初から、自分がいなくても回る仕組みをいかに残すかを第一目標としてきた。コラム3で述べられているように、保全や研究プロジェクトが恒久的なものではない以上、外部者に依存した支援にはおのずと限界がある。コンゴの人々が、自身が望んでいることを自身の手でできるようにする。それが、研究者として、そして実践者として僕がめざしている現地の人々とのかかわり方だ。自分がいなくても回る仕組みをつくることで、新たな展望も開かれる。それは、かならずしも関係性の断絶を意味しない。仕事や技術が引き継がれることで、それまでは一方しか担うことができなかった責任や役割が交換され、国や立場を超えた相互理解が深まっていく。相手と交わった結果、自分も相手も変わっていく。そうして初めて、それ以前とは異なる協働の可能性や持続的な関係が育まれていくことを、僕は自分の経験から学んでいた。

この姿勢を教えてくれたのは、大学時代に出会ったコンゴ出身のサイモン先生だった。サイモン先生は、コンゴで教育を受け、世界各地で学んだのち、現在は日本で英語を教えている。彼は、各地を越境しながらさまざまな視点を学ぶ過程で、コンゴに何が欠けているかを強く認識するようになったと僕に語った。彼は、「魚を与えるのではなく、魚の捕り方を教えなければならない」と折に触れて強調した。その言葉には、コンゴの人々の大学教育や政治への参加が阻まれてきた植民地の悲しい歴史がのぞかれ、とても印象的だった。「どんなに素晴らしい機械やシステムも、実際に使える現地の人間を育成できなければ役に立たない」という語りに接するうちに、僕の考えは少しずつ変わっていった。歴史的に引き継がれてこなかった知識やノウハウをいかに定着させるのか、持続的に資金を生み出す方法をいかに普及させるのか、この二点がコンゴで自分の行動を決定する際の重要な指針となったのである。

コンゴの人々に接するうちに、僕はこの国の持つ途方もない可能性を痛感するようになった。彼らの持つ思考法や人間関係のつくり方、世界的に見てもきわめて豊かな自然や天然資源など、復興に求められる要素のほとんどがすでにコンゴ国内に存在している。欠けているのは、現地の人々の志向に対する深い理解と、それを実現するためのノウハウだ。どんなにすばらしいアイディアも、現地の人々に引き継がれなければ、活動を持続できない。彼ら自身の手で自然と仕事が広がる循環をつくり出すことこそが必要なのだ。

とはいうものの、現地の人々と同じ目線に立って仕事をし、考え方や技術を引き継いでいくことは、とてつもなく難しい。お互いの考え方のちがいをすり合わせるには、針の穴を通すようなバランス感覚が求められ、それでも誤解、流言、対立の頻発は避けられない。文化や思考から経済的な格差にいたる両者の溝は、とても短時間で埋められるものではない。どちらが上でもどちらが下でもなく、ともに同じ目線で働くという対等な関係を築くためには、とんでもない労力と時間、そして経験の共有が求められる。それゆえ、準備に一か月程度しか時間がかけられないという制約のもとで、本当に今回のプロジェクトを実現することができるのか、具体的な見通しはこのときまだなかった。正直に言って、八〇〇キロメートル先のバンダカに到着するという最低目標の実現すら心もとなく、はたして無事帰還できるだろうかという不安を払いのけることができなかった。

## ともに考え、ともに行動する

こうした不安を抱えながら、バイクはワンバ村へと走り続けた。ドライバーのアデラールは、いつも通りの安定感で僕を運んでくれる。崩落しかけた丸木橋を悠々と越え、横倒しになった大木をすり抜け、ときに森の中の道なき道を進み、障害物をかいくぐっていく（写真7－4）。二〇一三年の初めての調査のときからアデラールは僕の先生のひとりで、運転技術や故障の際の応急処置について毎年教えてもらっていた。二〇一五年の調査では、「シンゴもようやく様になってきたな」と言われて嬉しかった。ワンバ地域まで自分の運転で行くことはまだできないけれど、経験を積むうちに少しずつできることが増えていく。現地の人々がやっていることを自分もできるようにしようと努めることで、雇用主と労働者という垂直的な関係ではなく、知識を交換しあえるような水平的な関係を築くことができる。それが、金

写真7－4　道なき道を進む

銭では代えられない信頼を生む。実際に自分でバイクを運転すれば、ドライバーの仕事がどれだけきついかを肌で感じ取れる。三日も走り通せば、クラッチレバーを握る左手は麻痺してくるし、体重もガクンと落ち始める。そうやって経験を共有しないかぎり、本当の意味での仲間にはなれない。彼らの日常を自分のものとして取り込み、可能なかぎり同じ目線で悪戦苦闘するからこそ、対等な仲間としての関係を築くことができるのではないだろうか。そんなことを考えながらも旅は快調に進んだが、やはり、ワンバ村への道行はとんでもなくきつかった。森林内部の荒れた路面、ときおり見舞われる豪雨、そして各地の検問所でのたび重なる交渉など、かろうじて残っていた体力も使い果たし、ワンバ基地に到着した九月七日には疲労困憊という有様だった。

一方、一か月ぶりに再会した松浦さんと山口さんは、高揚感をみなぎらせていて心強かった。ふたりは、ビンジョやロトコをはじめとする大量の商品を仕入れ、膨大な額のお金をやりとりすることで、どこか現地の商人を思わせる雰囲気を漂わせていた。この一か月間で、商品の仕入れだけでなく、船旅に必要なガソリンや船の手配などの準備も着々と進んでいた。とくに懸念していた船と船員の手配がうまくいったと聞いて、僕はホッと胸をなでおろした。長距離航行の経験に乏しい村の人々だけで安全を確保できるかは心もとなく、イサンギを出発する以前から、船員の経験値がプロジェクトの大きな懸案事項だと考えていたためだ。さいわい、これまでバンダカとワンバ地域を幾度も往復した経験を持ち、さらには「マスワ」と呼ばれる大型船の船長を務めたこともあるパパ・デュドネ（僕らは彼を「組長」と呼んでいた）率いるグループの協力を仰ぐことができ、すでにワンバ基地から一〇キロメートルほど離れたリンゴンジ集落の港で準備を進めているとのことだっ

写真7−5　リンゴンジの港

た。九月八日にリンゴンジに一日滞在して出航に向けた最終チェックをおこない、九月九日にはバンダカに向けて出発する手はずが整えられていた。この日の晩は、ワンバ基地で松浦さん、山口さん、徳山さんの四人で久しぶりの再会を喜び、温かい鶏肉の煮物やキノコの炒め物など、僕の調査地では滅多にお目にかかれない豪勢な食事で英気を養った。

九月八日の朝、徳山さんにいくつか日本の食べ物を差し入れたあと、リンゴンジに向けて出発した。ガソリンの手配や商品リストの印刷などにいそしむ松浦さんと山口さんに先行して、丸木舟が停泊している港へと急ぐ。リンゴンジに着いてみると、「あそこはリゾート地だ」というふたりの言葉通り、鬱蒼と茂った森の空気がひんやりと心地良く、ワンバ基地周辺とはちがって静かで過ごしやすい場所だった。コンゴ河の支流であるルオー川に接した港にはすでに買い集められた商品が山と積まれており、同行する船員や住民組織のメンバーたちが仕事に励んでいた。急に雨が降り出したが、彼らは動揺することなく、商品が濡れないように即座にカバーをかける。雷が鳴り響き、突然、大きな風が吹き込んできたけれど、それぞれが分担する仕事に懸命に取り組んでいる（写真7−5）。

作業もひと段落つき、ブルーシートの覆いのなか、みなで車座になって雨宿りをする。まず自己紹介をし、ひとりひとりの名前を覚えようと努めた。これまでの経験や失敗談を交えながら、自分がどのような思いでこの旅に参加するのかを伝え、同時にプロジェクトのメンバーがどんな背景を持っているのか聞く。どうやら船員たちの多くはキンシャサにも拠点を持っており、何か仕事があるたびに召集されているようだ。聞き慣れたキンシャサの地名が出てくると、どこかで彼らと顔を合わせていたかもしれないなと不思議な気持ちが湧いてくる。逆に彼らも、まさかここで日本人たちと船旅をすることになるとは思わなかっただろう。ひとりひとりの表情には活力と真剣さがにじんでいて、わずかな時間ではあったけれど本当にいいメンバーだと知るにつけて、肩から力が抜けていくのがわかった。とくに水先人であるパパ・オティスの話し方や立ち居振る舞いには強い感銘を受けた。いつもどこかエネルギーが振り切れているようなコンゴの多くの人々とちがい、彼の佇まいには静けさがあった。周囲に的確な指示を飛ばしながらも、一緒にいる人を和ませてくれる彼の所作はとても魅力的だった。

写真7−6　スピーチを同時通訳するアルフォンス

一五時ごろ、松浦さん、山口さん、組長を含めたほぼすべてのメンバーが一堂に会し、旅の成功を祈る宴が催された。松浦さんが旅の抱負をフランス語で語り、アルフォンスがそれをリンガラ語に同時通訳し、人々に伝えていく（写真7−

6)。ゆっくりゆっくり進みながらどうにかプロジェクトを成功させようという松浦さんとアルフォンスの声が重ねられていく。不安は多かったものの、この日をみなで迎えることができてよかったと僕は思った。集まったメンバーに見知った顔を見かけるのも嬉しかった。初めて来たときからお世話になっているパパ・ガリなどの顔なじみ、紛争以降、商業に取り組むデュドネやジャン、組長をはじめとする頼もしい船員たち、参加者ひとりひとりの表情も見えてきた。この場に際して、ようやく僕にも精いっぱいやろうというスイッチが入る。このメンバーであれば、何か面白いことができるのではないか、そんな直感が働いたのだ。残念ながら僕らは、この地域の課題を即座に解決できるような明確なアイディアを持っているわけではない。僕が調査をしているイサンギと比べると、ワンバ地域の地理的条件は著しく困難だ。イサンギから州都キサンガニまでは一二六キロメートルほどだが、ワンバ地域からバンダカまでは、その約七倍にあたる八〇〇キロメートル以上の河川経路を疾駆しなければならない。船旅にかかる燃料費はもちろん、途中にどのような障害があるのかなど、水上流通の実態を僕らも把握できていない。つまり、僕ら研究者も「魚の捕り方」を知らないのである。

しかし、知らないことは好機ともなりうる。魚の捕り方を知らないからこそ、地域の人々と解決策を一緒に考えるという新たな機運をつくり出せるからだ。このプロジェクトでは、地域の事情に通じる住民組織の代表、焼畑農耕に従事する村人、新たに零細商業を始めた商人、そして、水上輸送に通じる船員たちという背景の異なるメンバーが参加し、ひとつの船旅を共有する。多様な背景を持つ人々が同じ目線の高さで地域の抱える課題に取り組むことで、ひょっとしたら想像を超えるような新たな「魚の捕り方」を考え出すことができるかもしれない。僕ら研究者が一方的に魚の捕り方を教えるのではなく、人々と一緒に魚の捕り方を考える。教える／教えられるという一方的な関係ではなく、経験を共有し、ともに考え、ともに行動するという、より対等な関係を築くことができるのではないか。人々の表情を眺めているうちに、そんなプロジェクトの長期的な展望も見えてきたような気がした。

写真7－7　安全な航路を見きわめる水先人オティス

九月九日、ついにバンダカに向けて出発するときがきた。港に集まった商品を仕入れリストとつきあわせながら丸木舟に積み替える。丸木舟の底に枝を並べ、商品が水に濡れないよう処置を施したあと、山と積まれた商品をひとつずつ運び込んでいく。不安定な足場にもかかわらず、彼らの献身的な働きもあり、二時間ほどでこの作業を完了することができた。ようやく出航である。ヤマハのツーストロークエンジンが点火され、船はゆっくりと岸を離れ始めた。港に残る人々が手を振り、旅の無事を祈ってくれる。船は少しずつスピードを上げていく。水先人たちは、水面のわずかなちがいを見きわめながら、安全なルートを船長に伝えていく（写真7－7）。船員たちひとりひとりがまるでひとつの生き物であるかのように、目となり足となり、全体の調和をなして船は進む。開けた空を仰ぎながら、僕らは次の目的地へ向けて走り出した。

# 第Ⅲ部　森と河をつなぐ

# 第8章 波濶万丈の船旅

松浦直毅

## 船出

九月九日、六時に起きてテントをたたみ、八時すぎに船着き場に向かうと、すでに荷物の積み込み作業がおこなわれており、そのまわりには大勢の人たちが集まっていた。この人たちは、私たちを快く見送りに来てくれた人たち、だけではなく、最後の要求に集まってきた人たちである。「自分は港の管理人だ」「自分はこの集落の首長だ」「この仕事をしたのは自分だ」「あの作業を手伝ったのは自分だ」などといって「お駄賃」を請求してくる。ここにいたるまでの長い準備期間を振り返り、これから始まる船旅に思いをはせて万感の思いでの船出、というわけにはまったくいかず、つぎつぎにやってくる人たちの相手をしてドタバタしたままの出発となった。

ともあれ、ようやく、何とか川へ。日ざしが強くて暑いが、下りで時速一〇キロメートルほど出るので顔をなでる風が気持ち良く、船旅のはじまりはすこぶる快適だった。ただ、川は曲がりくねっていて、岸から木がせり出しているところや倒木が進路をふさいでいるところなど、危険な場所が数かぎりなくある。渋い声と立ち居振る舞いの水先人パパ・オティスが舳先に立ち（写真8－1）、最後尾で操縦する船長（写真8－2）に方向を指示しながら進む。そうして気持ち良く進んでいたものの、それも束の間、一時間ほどしていつの間にか雲行きが怪しくなってきた。慌ててレインウェアを取り出そうとしたが間に合わず、急な雨に見舞われてズボンがびしょ濡れになった。熱帯雨林の天気はいつも気まぐれで、この先の道中でも雨に降られるのが心配だ。この日の旅はまだまだ序の口で、リンゴンジを出てから二時間ほどで無事にベフォリの町に到着した。

## お出迎え

一六時すぎにベフォリに着くと、バイクでジョルにエンジンオイルを買いに行っていた組長がすでに到着していて、笑顔で出迎えてくれる。ほかにも私たちの到着をいまや遅しと待ちかまえている人たちがたくさんいる。愛する家族や友達などではもちろん

写真8－1　水先人パパ・オティス

写真8－2　船長パパ・デサ

なく、移出入を管理する役所（ＤＧＭ：デージェーエム）の役人や河川警察などである。着くやいなやさっそく登録料などを求めてくる。彼らの仕事自体は法律に則ったものではあるが、しつこく理不尽な要求をしてくるのも日常茶飯事で、その交渉が船で旅するのと同じかそれ以上に疲れる。

そのあとも、警察署長、村長、伝統首長、船着き場の管理人、環境保全部署の代表など、次から次へと何かのチーフを名乗る人がやって来て、いったいどれだけのチーフがいるのかと気が休まらない。彼らの要求にいちいち応じてはいられないが、だからといってむげに断って関係を悪くするのも得策ではないので、こういうときは、彼らの主張や要求をひとつひとつ「熱心に聞き流す」ように努めるしかない。一番困ったのは、軍人を名乗る男が家族連れで船に乗せて欲しいと訴えてきたことだ。バンダカに出る千載一遇のチャンスとばかり、村人の中にも便乗を希望する者はいたが、安全面からも無用な争いを避ける意味でも、ここまですべて断ってきた。しかし、「軍人には逆らうな」というのがコンゴの庶民の常識で、特権階級とばかりに当然乗せてくれるよなという態度が鼻につくが、しぶしぶ受け入れざるをえない。頼んできたときは「自分、妻、子どもとそれぞれの手荷物だけだ」と言っていたのに、いざ乗り込むときには、自転車、ニワトリ数羽、ヤギ三頭も載せてくるど厚かましさで、ここまでくるとむしろ感心してしまった。

## そして出発

九月一〇日、朝から船の組み立て作業がおこなわれた。二艘の丸木舟をロープで連結し、船の上には竹を組んで柱を立て、そのうえからビニールシートをかぶせて船全体を覆う（写真8－3）。船の中にラフィアヤシ製のベッドを設置して、寝そべっても十分な居住空間である。商人にくっついて何度も川を旅しているタカムラいわく、これは「ロイヤルスイート級」だそうだ（写真8－4）。

屋根が組み上がったら、順に荷物を載せる。ロトコの入った容器を整然と並べ、ビンジョの袋をこれまたきれいに積み上げる。大量のガソリンは最後部のモーターの近くに並べ、その都度補給する。さらに、船の真ん中あたりの一角を仕切って家畜スペースを設ける。船に載せられようとしたブタたちは金切り声をあげて抵抗していたが、旅の途中でこんな風に発狂して飛び出してきたらと

写真8－3　船の組み立て作業

写真8－4「ロイヤルスイート」の船内

写真8－5　運ばれる家畜、作業しているのはフェリー

写真8-6　空と森と川

思うと恐ろしい（写真8－5）。それから、二艘の大きな丸木舟の脇に小さな舟をもう一艘連結した。土を盛って五徳を設置し、ここで炭を使って料理をするのである。舟に燃え移ったらと思うとこれまた心配になる。

一四時すぎ、大がかりな船の組み上げ作業とつぎつぎに現れる敵キャラのせいで予定よりだいぶ遅れたが、いよいよベフォリを出発する。これだけの大きさと重さがあると転回するのも大変で、船の向きを変えようとした初っ端から「ガッン！」と船を岸につないでいたロープにひっかかってヒヤリとしたが、軌道に乗ってからは気持ち良くスイスイと進む。川岸には、川と溶け合うように深い蒼色の森が延々と広がっており、明るい空の色とコントラストをなす（写真8－6）。ときおり、森と川に抱かれるようにぽつんと漁労キャンプがたたずんでいるのが見え、河の民がそこに息づいていることがわかる（写真8－7）。

三時間ほど進んだところで、漁労キャンプがある場所に停まり、ここでこの旅最初の夕食となる（写真８－８）。メニューは、キャッサバの粉を練った団子（フフ）と干し魚のスープだ。動いているときには風が通り抜けて気にならなかったが、停まってみると家畜のにおいが鼻につき、船の中なので少しばかり窮屈でもあったが、それでも旅の高揚感もあいまって格別な味だった。

## ジェテを打つ

このまま朝まで停泊するかと思いきや、船は二二時すぎにふたたび動き出す。月がのぼって明るくなるのを待っていたのだった。満月から少し欠け始めたところの月が、真っ暗な森と川を煌々と照らす。私たちが寝ているあいだにも船は順調に進む。川を渡る夜風はひんやりとしていて、レインウェアを着たうえに寝袋にくるまってちょうど良いくらいだ。

そうして気持ち良く夢の中を漂っていたところに、パパ・オティスの大声が聞こえてくる。「ジェテ（＝木）だ！ ジェテだ!!」と言っているようだなと思った瞬間、「ガツン!! バリバリ

写真８－７ 漁労キャンプ

写真８－８ 川岸にしばし停泊

バリバリ!!」という大きな音と振動で一気に現実に引き戻された。川に横たわっている倒木に船底を打ちつけて、岸側の茂みに激しく突っ込んだ。もし船が破損していたら、そして、もし浸水して水没してしまったら、と考えると背筋が寒くなるが、さいわい船は頑丈で事なきを得た。連結している二艘の舟のあいだに枝が挟まって隙間が広がってしまい、そこから水しぶきが上がるようになってしまったのが被害といえば被害だが、おかげで舟の隙間で水を汲んだり手を洗ったりできるようになった。このアクシデントで私はすっかり目が覚めてしまって、しばし茫然としていたが、タカムラは、ハタと起きたかと思うと「ジェテ打ちましたね!」と言って、またすぐ寝てしまっていた。さすがは船旅のベテラン、ずいぶんと肝がすわっている。ここから少し先に「呪われた場所」と言われるほど数多くの事故が起こる難所があることから、明るくなるのを待つことにし、岸に突っ込んだそのままで夜を明かした。

## トイレ問題

九月一一日、早朝五時に出発して、くだんの難所を抜ける。たしかに流れが急で、何か所も川の中に倒木があり、事故が頻発するのもうなずける。川をさかのぼってきた大型船がここを越えられなくて立ち往生し、川が増水して通れるようになるまで何か月も待つこともある場所のようだ。

太陽が森の木々の上に顔を出す時間になったあたりで、近くの漁労キャンプに立ち寄ってトイレ休憩をとる。トイレのことまでわざわざ書かなくていいのに、と思われるだろうか。いえいえさにあらず、これは見出しのひとつになるほど重大な問題である。船での生活はとりあえず快適で、体調もすこぶる良いのだが、つねにつきまとう大きな懸案がトイレ問題なのである。もよおしたからといってすぐに船を止められるわけではなく、かといって船から下半身をつき出して用を足すのも難しいことから、いかに腹の調子を整えて、トイレ休憩の時間にタイミングを合わせるかが大切となる。とはいえ、ほとんど寝たきりの生活のために胃腸もお休みしているようで、風が強く吹いて川が激しく波立つことはあっても、お腹の方は「波」にさいなまれることはなかった。寝食をともにしていると用を足すタイミングもシンクロしてくるようで、トイレ休憩は一日に二回ほどで事足りた。

## 船上の食生活

トイレ休憩のあとは朝食の時間だ。プランテンバナナ（甘くない、イモのような味のバナナ）やスイートキャッサバをスティック状に切ってヤシ油で揚げたスナックをつまみ、大事に持ってきたネスカフェ、砂糖、粉末ミルクを入れた甘いコーヒーを飲む。揚げバナナはホクホクとして、コーヒーは口の中で香ばしさが広がり、朝のさわやかな空気とあいまって至福のひとときである。

読者のみなさんは、船に閉じこもりきりの旅は、さぞかし食生活が厳しいと思われるだろうか。主食は、買ってきた米にくわえて、選抜メンバーたちが大量に持ってきたキャッサバの粉を分けてくれるので、ごはんとフフが半々くらい、どちらも十分な量で、ひもじさを感じることはまったく

写真8－9　漁師から買った魚

写真8－10　マココロ

なかった。メンバーたちは、ほかにもキャッサバを搗《つ》いて固めた巨大な団子を持って来ていて、それをちぎっては食べるという具合だ。副食の方はもっと豊かで、あちこちにいる漁師からとれたての魚が買える（写真8－9）。漁師を見つけて船を寄せていくと、漁師が自分の舟を私たちの船に横づけする。漁師にしてみれば、現金収入を得る数少ない機会であり、私たちにすれば、その日の食事を左右するこれまた貴重な機会だ。

　道中にはきちんとした市場はないが、休憩に立ち寄った集落でもいろいろな食料が買える。メンバーたちが好んで食べるのが「マココロ」と呼ばれる甲虫の幼虫である（写真8－10）。食欲をそそる見た目では全然なく、腐葉土のようなにおいがしておいしいものではないと思っていたが、内容物を出してたっぷりの油でカラっと揚げると、香ばしくて悪くない。さらに私たちは、「商品」という名の大量の食料を積んでいるので、いざとなればそれを消費することもできる。実際に、ロトコ一本二五リットルは船の上で消費し、干し魚もいくらか食べてしまった。そして、三羽

写真8-11 夕食の様子

連れて来ていたアヒルは、バンダカの地を踏むことなく、私たちの胃袋に消えてしまうのだった。

食材は豊富に手に入るものの、一八人の食い意地の張った大人の男たちの胃袋を満たすのには、お金がけっこうかかる。試行的な事業として、収支を計算して商業活動として成り立つかどうかを調査するためのものでもあるので、お金の出入りには神経をとがらせた。何でもかんでも好きなだけ買うわけではなく、魚を買うときにも、細かい単位で値切って交渉に熱が入る。しかし、このようにして切り詰めすぎると、今度はすべてのメンバーに十分に食料が行き渡らないという問題が生じる。われわれ三人には優先して分けてくれるので、私は豊かな食生活だと感じていたが、十分に満足していないメンバーもいた。お腹が減って仕事ができないとなっては困るし（実際にコンゴの人たちは、漫画のキャラクターかというくらい、空腹だとわかりやすく弱々しい）、食事に対する不満が募れば、人間関係も悪化する。毎日の食事は、みんなにとって大きな関心事で、最大の楽しみのひとつであるが、だからこそ大きな懸案であり、最も重要な問題でもあるのだ（写真8－11）。

## 船での楽しみ

食事にならぶ船での楽しみは、おしゃべりである（写真8－12）。ただ乗っているだけの私たちは、食事とおしゃべりくらいしかすることがないともいえる。選抜メンバーたちともバ組の人たちとも、個々人の生い立ちから、コンゴの政治情勢のこと、村の将来のことまで、いろいろな話をした。すでに長くつきあってきてよく知っていると思っていたメンバーたちだが、せまい船の上で文字通りひざを突き合わせて話してみると、知らなかった一面がたくさん見えてくる。また、プロジェクトを通じて知り合ったバ組の人たちからは、これまでに経験してきたいろいろな旅のことや商売のことを聴かせてもらった。こうしたおしゃべりは、人類学の調査として重要であるだけでなく、これからも継続して地域にかかわっていくうえで大切な関係構築の機会でもある。もちろん、それ以前に、ふつうの人間同士のふつうの営みとして楽しいものでもある。とくに調査地が異なるタカムラは、初対面の人が多い中で、みんなと熱く語り合い、心を通わせ合って、すっかりみんなから愛されていじられるキャラになっていた。

写真8-12 おしゃべりの様子、組長の武勇伝を聴く

儲けを出すこと、目に見える成果を残すことはもちろん重要で、事業の成否はそれによって評価されるものでもあるが、私たちはこのプロジェクトをそれだけで完結するものとはとらえていない。メンバーたちがここでどのような知識を得てどのような経験を積めるのか、私たちは村の人たちに対する理解をどのように広げられるのか、そして、お互いがどのように関係を深められるのか。それが今後につながる重要な点であり、そこにこそ、同じ船の上で寝食をともにしながら長い時間を一緒に過ごすことの意義があるのである。図々しく便乗してきて、招かれざる客だと心の中で敵意を向けていた軍人一家も、おしゃべりする機会こそ少なかったが、旅をともにするうちに何となく心を許せるようになってきた。ベフォリを出て三日後の朝に彼らが降りていったときには、「お元気で、よい旅を」と言い合って別れるのだった。

## 広がる川幅と期待

川を下るにつれて、次から次へと支流が合流していき、川幅がだんだんと広がっていく。出発から五日目の九月一三日、全行程の半分を過ぎたあたりでは、左右の端を一目では見渡せないくらいの大きな川になっていた（写真8－13）。広い川に入ってきたということは、町が近づいていることでもある。出発してから約五〇〇キロメートル、道中では最も大きい町、バサンクスが迫ってきていた。旅の間じゅう、GPSで航路を記録しながら紙の地図と見比べて位置情報を確認してきたが、町が近づいていると思うと期待が広がり、見たところで着く時間が変わるわけではないのに頻繁に

GPSを確認してしまう。

少しじれったさを感じはじめた午後、ベフォリを出てからは一度もなかった雷雨に見舞われる。川が広いだけに波風が強く、「ジェテを打った」ときに広がった舟の隙間から、容赦なく水が跳ね上がってくる。慌ててビニールシートで船の両側を覆うが、それでも隙間から雨が吹き込んでくる。濡れない場所を選んで荷物と自分の身を寄せ、じっと雷雨が過ぎるのを待つしかない。船員たちはもっとずっと大変で、船首や船尾でびしょ濡れになりながら懸命に船を進ませる。

雨が過ぎ、日もすっかり暮れて、まどろみかけていたところで船が着岸した。ついにバサンクスに着いたようだ。とはいえ、降りて陸地で休むわけにはいかない。夜間に港に入ることは禁止されており、迂闊に港に近づくと警察や軍に捕まってしまうからだ。バ組の人たちからは、町には強盗があちこちにいるので、出ていくのは危ないなどとも脅される。陸地でゆっくり休みたい気持ちはやまやまだが、上陸するのは日が明けてからということで、家畜のにおいを感じながら、バサンクスのはずれの川岸で一晩を過ごした。

写真8-13 だいぶ川幅が広がってきた

## バサンクス、ノーサンクス？

九月一四日朝、ついにバサンクスに降り立つ。ここで衝撃的な事実を告白しなければならない。私たち三人は、ベフォリを出てからここまで一度も水浴びをしていなかったのである。コンゴの人たちはみなきれい好きで、毎日タイミングを見つけて川で水浴びをしており、君たちも洗ったらどうかと勧めてくれるのだが、水浴びをするのも一苦労なので、どうしても億劫になり、ここまできてしまった。彼らにはさぞかし不潔だと思われただろうが、私たちからしてみると、ちょっとよどんでいて何やら浮いている、ついでに、さっき一斉に用を足したばかりの川に入る方が汚く感じられて、浴びるのがためらわれたのも正直なところである。ちなみに、すでにお気づきだと思うが、服もずっと同じままだ。五日間も洗わないでいると、髪の毛はペッタンコになり、体は脂でテカテカになるもので、さすがに我慢できなくなってきていた。だから、組長の知り合いの家で用意してもらった熱いお湯を浴びたときの気持ち良さは格別だった。髪の毛や頭皮にまとわりついた脂をゴシゴシと落とし、身体のすみずみまで入念に洗い、不潔に伸びたヒゲを丁寧にそりあげて、すっかりリフレッシュできた。きれいな服に着替えたあとに陸地で食べる揚げバナナとコーヒーの朝食が、これでもかというほど気持ちを癒してくれる。

しかし、気持ち良い時間は長くは続かない。快適さを享受できるのとひきかえに、町には面倒なことがたくさんある。その筆頭は、もちろん役所での手続きである。ここでは、船と人のそれぞれの通行許可、商品にかかる税金など、必要な手続きがたくさんあって、いろいろな役所に行かなければならないが、なかでも最大の難敵は、やはり移出入を管理するデージェーエムである。私たちがお湯浴びと朝食を満喫している横にはすでにデージェーエムのお役人が来ていて、連れて行くのを待ちかまえている。ささやかな抵抗として、ゆっくりゆっくりコーヒーを味わって焦らしたあと、仕方なく役所に出向く。もちろん、不法に通行するつもりはないので、「正規の」手続きをするのはやぶさかでないのだが、とくに外国人は目をつけられて何かと難癖をつけられたり、嫌味な要求をされたりするのが常である。

見るからに意地の悪そうなデージェーエムの男は、バンダカに行く途中で通り過ぎるだけなのに、ひとり五〇ドルという法外な支払いを要求してきた。こういうのにはうんざりで、バサンクスならぬノーサンクスと言いたくなる。われらがタカムラは、こうしたいやらしいお役人が大嫌いな性格で、何やら瞑想するようにして私のとなりで怒りを抑えているようだ。「頼むから爆発して問題をこじらせないで」と思って冷や冷やしながら横目で見ていたが、ついにタカムラが口を開く。デージェーエムへの文句をまくしたて、挙げ句にタバコを吸ってくるといってオフィスの外に出ていってしまった。ああやってしまった。デージェーエムは、「なんて失礼なやつだ、あいつは絶対帰さないぞ」などとご立腹である。だがしかし、これは私たちのひとつの戦略でもある。タカムラが「きかんぼう」として立ちまわることによって、私とヤマグチ君はふつうに話していても相対的に落ち着いて紳士な印象になる。「仲間が非礼なことをして申し訳ない」と謝って下手に出つつ、「でもちょっと聞いてくださいよ」などと穏やかな口調で言って「寝技」の交渉に持ち込む。結局、無駄に長い時間を喰う羽目になったが、しぶしぶ納得がいく一五ドルで何とか落着した。ふと見ると、タカムラはいつの間にか役人と仲良くなっており、楽しそうに外で談笑しているのだった。

## 背徳行為

デージェーエムのあと、私とヤマグチ君は、船の通行手続きに関する役所に向かい、タカムラはアルフォンスたちと食料の買い出しに行く。船の役所は、デージェーエムに比べればあっさりとリーズナブルな金額に終わり、これでバサンクスでの手続きはすべて完了だ。

緊張を強いられる手続きが終わると、役所に向かう道のあちこちで見かけた町の食べものと飲みものがにわかに気になってくる。折しも、良く晴れて太陽がギラギラと照りつける暑い日で、それでなくても喉が渇くのだが、そのうえに船旅のあいだ抑え込まれていた欲望がむくむくと湧き上がってきて、私とヤマグチ君は、気がつくとわき目もふらずにバーをめざしていた。ビールこそ自重したが、「いまごろ汗まみれで市場を歩きまわっているタカムラよ、申し訳ない！」と言いつつ、キンキンに冷えたジュースで乾杯し、一気に喉に流し込む。強烈にうまい。「バンダカに着いたら乾杯しようぜ」と誓い合っていたのに、フライングで、しかも抜け駆けして申し訳ない。せめてもの罪滅ぼしに、パンと揚げ魚を買って戻る。

遅めの昼ごはんは、タカムラたちが市場で買ってきたばかりの豚肉、野菜、米というごちそうで、五日間の船旅で消耗したエネルギー（そのうちのいくらかはバサンクスの役所でムダに消耗した分だが）

はすっかり満たされた。昼くらいという計画からはだいぶ遅れたが、一六時すぎにいよいよバサンクスを発つ。ここまで通ってきたルオー川と、同じくらいの規模のロポリ川がここで合流し（つまりバサンクスは、ふたつの川が分岐するところに位置している）、また一気に川幅が拡大する。さあ、バンダカ到着が視野に入ってきた。

## 砂洲につかまる

川が広くなって、海にいるかのように四方八方から風が通り抜ける。やがて日が暮れて真っ暗になったが、これだけ広ければ遮るものなど何もないと大きな気持ちになる。しかし、コンゴの旅がそんなに甘いはずはなく、きっちりアクシデントが用意されていた。

川が広いと、川の真ん中あたりに砂が堆積して、ところどころに草も茂った砂洲ができる。これが船にとっては大敵で、案の定、私たちも砂洲に突っ込んで抜け出せなくなった。はじめは状況が呑み込めず、「川の真ん中で休憩とは面白いな、ここで用を足したり水浴びをしたりするのもいいな」などと呑気なことを思っていたが、どうやら事態はずっと深刻なようだ。何人かが降りて船を押すが、すっかりはまり込んでしまっている。大きな船本体と大量の荷物を合わせると一〇トン近くはあるため、うしろから押して砂地を乗り越えることは難しく、水が深いところを選んで船を動かすが、なかなか脱出の突破口が開けない。

これはいよいよ身動きが取れないとなり、みんなが降りて船を押す。私とヤマグチ君は、事故のリスクもあるのでさすがに船から見守っていたが、タカムラはいてもたってもいられない様子で、パンツ一枚になって果敢に飛び出していった。船を動かす方向を見定め、掛け声をかけながら船を押す。川底の砂をかきだして取り除き、竹竿を使ってテコの要領で船を少し持ち上げ、何とか船を進める。そうして二時間ほどの悪戦苦闘の末にようやく砂洲を脱出したときには、高揚感と一体感に包まれた。心から安堵し、力を合わせて押し続けたみんなにはただただ頭が下がる思いだった。

## バリニエにぶつかる

大きな山場を乗り越え、すっかり夜もふけて、船は静寂のなかをひた走る。みんな心地良い疲れでぐっすりと眠っていた。しかし、これは安全で快適なクルーズではなく、何が起こるかわからないコンゴの船旅なのだ。真夜中にもうひと山待ちかまえていた。

午前三時すぎころ、パパ・オティスの大声で目が覚める。左手に大きなかたまりが見えたと思った次の瞬間、これまでで一番の「ガツン!!!」という衝撃。大きなかたまりは、「バリニエ」と呼ばれる木造船（写真8－14）で、私たちが

写真8－14 人と荷物を満載したバリニエ

写真8-15　調理場用の舟、手前がジョナタン、奥がフィデル

追い越そうとしていたところで激突したのだ。故意かどうか知る由もないが、パパ・オティスは、「ずっと灯りで合図して声をかけ続けたのに、バリニエが進路をふさいできた」と憤慨している。

当たり方が悪ければ大惨事になっていたわけだが、さいわいまったく被害はなかった。ぶつかったのは調理場として利用している小さい舟で、本体の方にぶつかっていたらもっと衝撃は大きかったはずであり、私たちの食生活を守ってきたこの舟がバリニエからも守ってくれたわけだ（写真8－15）。やっぱり私はすっかり目が覚めてしまって、しばし茫然としていたが、船旅のベテラン・タカムラは、ハタと起きて「リカンボ・ニニ？（どうした？）バリニエ!?」と言うと、またすぐ眠りにつく。肝がすわっているのか鈍感なのかもはやよくわからないが、寝起きの第一声にリンガラ語が出てくるあたり、すっかりコンゴに染まっているのはまちがいない。

## 軍隊に追いかけられる

九月一五日、その後は順調に進んで、いよいよコンゴ河が近づいてきた。昼すぎからは風が出てきて水しぶきがあがるが、ミストシャワーのようで快適だ。組長たちと相談したところでは、コンゴ河との合流地点にルロンガという町が関所のように立ちはだかっており、そこを通るのに一計を案じる必要があるという。正直に降りて役所で手続きをしようとすると、何か所もまわらされてひどく時間がかかるうえに、多額のお金をとられるというのだ。そこで私たちがとった作戦は、それらをいっさい無視して通り過ぎる、という大胆なものだった。広げていた荷物をしまい込み、緊張しながらルロンガに近づく。おしゃべりをやめて、しばし事態を見守る。

すると、待ちかまえていたように（実際、待ちかまえていたのだろう）、岸の方からすごい勢いでモーター付きの丸木舟が近づいてきて、あっという間に私たちの船に横づけしてくる。漫画か映画に出てきそうなわかりやすい悪人顔をした迷彩服の軍人が三人乗っている。黒光りする物騒な筒状のモノがチラリと見える。さっそく組長と船長が何やら交渉を始める。私たちの作戦とは、もちろん強行突破するのではなく、「マタビシ」（要するにワイロ）を用意して「穏便に」済ませるというものだった。海賊のような面がまえで、どんな無理難題をふっかけてくるのかとビクビクしていたが、チップ程度のかなり良心的（?）な金額で片がついたようだ。じつは全然悪い人たちではなかったのかもしれない。さしものタカムラもこんな経験は初めてだといってかなりビビっていたが、

写真8-16 コンゴ河のパノラマ

またひとつ難所を突破して、安心してみんなで顔を見合わせる。

そうして緊張から解放されたら、そこは旅のあいだ思い焦がれてきたコンゴ河だった（写真8－16）。一週間かけてついにここまで来たわけだ。ここまでは、支流がつぎつぎに合流して川が大きくなっていくような感覚だったが、最後は圧倒的に巨大な川にまるごと飲み込まれたような感じであった。バンダカはもうすぐだ。

## 大河・コンゴ河

「アフリカの大動脈」コンゴ河は、全長約四七〇〇キロメートル（世界五位）、流域面積三六八万平方キロメートル（世界二位）をほこる大河である。広いところでは川幅がゆうに一〇キロメートル以上あり、対岸だと思っていた場所がじつは中洲で、対岸はそのずっとずっと向こうであることに気づく、などという体験も珍しくない。「中洲」という表現も実際の光景とはだいぶちがっていて、あえていえば、巨大な島が川のあちこちに浮いているといった感じだ。ともあれ、数々の困難を乗り越えた末にたどりついた雄大なコンゴ河に抱かれて、「モテマ・エキティ（ようやく落ち着いた）」と、みんなそろって胸をなでおろした。ここからバンダカまではあと約八〇キロメートル、長い長い旅も残すところあと半日といったところか。

あまたの生命を包み込んでくれるコンゴ河は、しかし、ちっぽけな生命をいともあっさり奪う恐ろしい存在でもある。コンゴ河に入ってからしばらくは気持ち良く進んでいたが、見る間に雲行きが怪しくなり、やがて激しい雷雨になった。雄大なだけに荒れ方のスケールも半端ではなく、轟音で雷が鳴り続けるなかで、水面は海の上のように波立って船を揺るがし、四方八方から船の中へと容赦なく水が攻めてくる。これまでにどれだけの生命がこの川に消えていったのだろうかと思うと、この黒々とした大河がすべてを飲み込む大蛇のようにも見えてくる。コンゴ河に入って安心しかけたところだったが、やはり最後まで決して油断できない。

写真8-17 コンゴ河の夕暮れ

はるばるやってきた私たちに対する歓迎というのには、いささか手荒すぎる嵐はやがておさまり、日もすっかり暮れてきた（写真8－17）。例によって夜に入港するとがめられるので、あと三五キロメートルほどのところで最後の停泊となる。シトシトと雨が降り続くなか、炊事係のフィデルとジョナタンがいつものように食事の支度をしてくれる。すばらしくおいしいアヒルと魚の料理を心ゆくまで堪能する。ここまでお酒はほとんど飲まずにいたが、最後の夜ということで、おなじみのロトコと、タカムラが隠し持っていた怪しげなリキュールをチビチビと飲みながらおしゃべりに興じる。家畜のにおいはすっかり気にならなくなっていた。めくるめくように起こったさまざまな出来事を振り返り、ようやくゴールが見えた安堵を感じながら、遅くまで盛り上がった最高に楽しい夜であった。

# 第9章 船旅に想う

山口亮太

## 気になる空模様

「いやぁ、あの雲は良い形をしていますねぇ」

船旅のあいだ、この台詞を何回口にしただろうか。はじめは、深い緑色の熱帯雨林と青い空とのコントラストに目を奪われ、その中に悠然と浮かんでいる雲の様子に対して純粋に感動を覚えての発言だったのだが、回数を重ねるごとに「今日は良い天気ですね」程度の意味しか持たなくなってしまった（写真9－1）。松浦さんとタカムラも、はじめは「たしかに！」と、カメラを取り出して写真に収めようと苦心していたが、徐々に「今日は何回目よ、その発言？」などと言い始め、しまいには何の反応も返してくれ

写真9－1　絶景

なくなってしまった。タカムラは船の前方に渡してある足場で寝ているし、松浦さんは、サファリアリに食い破られたエアマットにゴロリと横になっては、徐々に抜けていく空気を補充することにご執心のようである（写真9－2、9－3）。

流れゆく景色を眺め、船旅の仲間たちと雑談に興じ、飯を食って寝る、という暮らしは楽しいものだが、二、三日もすると慣れてきて、暇を持て余すようになってくる。出港のときに感じた、あの達成感と開放感、そして船旅に向けての心地よい高揚感は何だったんだろうと言いたくもなる。松浦さんなどは、出港までの準備に追われた日々に思いをはせてのことだろう、「いやぁ、感きわまったよ」と冗談めかして言いつつ、心なしか目元に光るものがあったほどなのに。準備期間中は、

写真9－2　船の舳先で寝るタカムラ

写真9－3　昼寝する松浦さん。エアマットはすでに空気が抜けている様子である

写真9－4　出港して数日でこの体たらくである。白目をむいて口が半開きの写真もあったが、さすがに見せられない

僕も松浦さんもさんざん頭を悩ませ、夜遅くまで金勘定をやってきて、その末にようやくここまでこぎ着けたという思いはひとしおだったのだが、数日でこの落差である（写真9－4）。

ただし、僕が空模様ばかりを気にしていたのには理由があった。船旅で雨が降るのは非常に気が滅入るうえに、雨に濡れても働かなければならない船員たちにとって大きな負担となる。それに、雨には風がつきものなので、静かな水面が波立ち、船がけっこう揺れるのだ。今回も、コンゴ河の本流に出たあたりで酷い大雨に降られたが、その際には激しく波打ち上下する水面と、吹き付ける強風による飛沫のために、同乗していた村の選抜メンバーたちはすっかり怯えてしまった様子だった。ボンガンドの人々の日常生活では、仕掛けておいた漁網を見回るために小舟で狭い支流を行き来する程度であり、大河のただ中で波に揺られるというのは、よっぽど恐ろしい経験だったのだろう。もっとも、大きいとはいえ喫水線の浅い船に積荷を満載しているのだから、彼らでなくても不安にはなる。それに、船の屋根であるビニールシートには、ところどころ穴があいていたり、微妙に覆いきれていない部分があったりするので、雨が降ると積荷が濡れてしまう心配があった。こんな訳で、僕は天気のことをいつも気にしていた。そのため、空を眺める時間が長くなり、自然と雲を探している状態にな

写真9-5　絶景その2。こんな空模様で気にならないわけがない

るのである（写真9－5）。

## うるさい水先人

ボーッと空を眺めていると、モーター音の中に、変な大声が混ざっていることに気がつく。船の舳先に立ち、行く手に倒木や砂州などの障害物がないか目を光らせ、船長に進行方向を伝える水先人（フランス語でマテローという）の声である。とくに、出発直後はグニャグニャに曲がりくねった狭い支流を進んでいくため、彼らの存在なしには先へ進むことができない。水没した倒木に船体をぶつけ、沈んでしまった船も少なくないのだ。「組長」ことパパ・デュドネが率いる船員チーム（通称・バ組）には、ふたりの水先人がいる。長身痩躯のダンディ、パパ・オティスと、小柄で若いモコロである（写真9－6）。彼らは、昼夜を問わず交代で舳先に立って水面を見つめ続ける。川幅の変化や進行方向など、基本的な情報はハンドサインで伝え、それで伝えきれないときには大声をあげる（写真9－7）。

ところが、若い方のモコロは、四六時中、デカい声で指示を飛

写真9－6　夕暮れ時の水先人。右がモコロ、左がオティス

写真9－7　オティスが「川幅が狭くなる」というハンドサインをしている

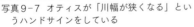

写真9−8　昼寝をする水先人。夜は交代で見張りをするため、昼は体力の温存に努める

ばし続けるのである。それも、単に「右！」や「左！」というのではない。「右前方にとびきりの美人がいるぞ！　俺たちは彼女と寝るんだ！」（つまり、右へ行け）、「左には妙齢のご婦人がいるじゃないか！　結婚させてくれ！」（つまり、左へ行け）といった感じで、万事女性（と若干の下ネタ）に引っかけて言うのである。しかも、まちがいなく指示が伝わるように、同じことを何度も繰り返してリズミカルに言うのだが、途中で興が乗るのか、指示に合わせて腰を振って踊り出したりする。はじめは、「うるさいやつだなぁ」と思っていたのだが、どうやら下ネタを言っているらしいことに気がつくと、俄然興味が湧いてきた。そうなるともう彼の虜で、早く何か変なことを言わないか、次はどんな下ネタを言うんだと待ちわびるようになってしまっていた。

しかし、下流に行くにしたがって川幅が広くなり、流れもそれほど複雑ではなくなるため、期待に反して昼間は水先人の仕事があまりなくなってくる（写真9−8）。滔々《とうとう》と流れる大河を恨めしそうに眺めながら、「水量が十分で座礁の心配はない」という意味らしい「ルベ・ナ・ルベ！」というフレーズを連呼するだけである。必要以上に頻繁に言うので、アルフォンスは彼のことを「ルベ・ナ・ルベ」と呼び始め、みんなそれに倣った。そのあとも航程が進むにつれて、徐々に日中の水先人の仕事は少なくなり、それとは反対に欲求不満が高まったのか、モコロは愚痴をこぼす、というか、大声で叫ぶようになっていった。全航程の半分をこえて、バサンクスに着くあたりのことであった。夜に備えて昼寝をしていた彼は、おもむろに起き上がって、男所帯で女が恋しいことへの不満の声を叫び始めた。

「船員も独り身！　村の連中も独り身！　ミンデレ（われわれ日本人のこと）も独り身！　独り身は辛い！　もうこの際、エイズになったってかまうもんか！　そのせいで、あと五日で命が終わるなら、そこまでだ！　この辛さには耐えられない！　俺はもう、バサンクスで降りる！　パパ、どうか探さないで！」

バサンクスで女を捜すという堂々たる宣言に、一堂が大笑いしたことは言うまでもない。もちろんバサンクスでは降りず、その後もバンダカにいたるまで、モコロは笑いを提供し続けてくれた。

## 船旅でのおしゃべり

船の速度は、時速一〇キロメートルを超える程度なので、穏やかな水面をのんびりと進んでいく。ときおり、川辺の森の奥に隠れるように建つ小屋が見える。魚を捕るための一時的なキャンプだが、なかには長期的に滞在している人もいるようだ。二〇一一年に遡上したときには、キャンプの住民から魚や獣肉を購入した際、現金とともに石鹸や塩を求められることがあった。いずれも、人里離れたキャンプでは手に入らないものである。また、半ば遺跡と化した輸送船とおぼしき残骸や、森の中に半分埋まっているようなコンクリート製の建造物が見られることもある。かつての水上交通

写真9-9　タカムラに解説する組長

写真9-10　パパ・ガリから戦前の話を聞く山口

や外国籍企業の活動のなれの果てである。現在のワンバ地域は、経済的な中心地から遠く離れた森の中の孤島という様相だが、かつては定期船が行き来しており、河川を中心とした経済活動がたしかに息づいていたのだ。そういう重要なポイントにさしかかると、組長がすかさず解説を入れてくれる（写真9－9）。彼は、若いころにキンシャサに出て商売を学び、その後はワンバ地域とキンシャサを行き来する生活を送っていたそうで、往時の経済活動にもくわしいのだ。

彼の他にも、当時のことを知る人々がいる。五〇代のパパ・ガリは、色あせた黒のシャツにニット帽と細身のトレンチコートを着込んでおり、メンバーの中ではダントツにオシャレであった。まるで、パリの街の片隅にいる画家のようないでたちだったので、僕たちは彼を「画家」と呼んでいた（写真9－10）。彼は、電気技師として外国籍企業で働いていたベルギー人男性とボンガンド女性のあいだに生まれた。しかし、父親は国に引き上げてしまい、彼は母の生まれ故郷であるイヨンジ村で生活していた。その後、一念発起して母親とともにキンシャサに移住し、一九八〇～一九九〇年代にかけてキンシャサにあるサンダル工場などで働きながら生活していた。一九九三年にキンシャサで軍隊による略奪が発生した際に、勤めていた工場も閉鎖に追い込まれ、働き口を失ってイヨンジ村に戻ったという。定期船に乗ってあちこちを移動していたようで、キンシャサ暮らしのあれこれも交えながら、当時のコンゴの様子をいろいろと解説してくれる。

パパ・ガリがキンシャサで暮らしていた時代に懇意にしていたのが、船の操縦を担っている「船長」ことパパ・デサである。船長は、ワンバのとなり村で生まれたボンガンドであるが、キンシャサで操船技術を学んだという異色の経歴を持つ才人であり、本来であればコンゴ河本流を航行する大型船舶の操縦が仕事である。戦後はそうした仕事がないため、地元に戻って細々と船の操縦を手伝っているのだ。

パパ・カミーユは、なんと、若かりし日に、われわれが進んできたルオー川の源流域にまで行ったことがあるという。口数も仕事量も少ない年配者なので、われわれはひそかに「おじいちゃん」などと失礼な呼び方をしていたが、これからは敬意を持って「老師」と呼ぼう。そんな「老師」の片鱗は、これまでにも見え隠れしていた。リンゴンジで荷物を積み込んでいたときのことである。少し下流のベフォリで舟を連結して大きな屋形船を仕立てることになっていたため、そこまでは荷物を小分けにして輸送する必要があり、ロトコやヤシ油のポリタンクを、手漕ぎの丸木舟で輸送することになった。下りなので川の流れに任せればいつかはたどり着くとはいえ、ポリタンクを満載した丸木舟を漕ぎ手ふたりで運ぶのは、労力もかかるし責任も重い。誰がやりたがるのだろうかと思って眺めていると、パパ・カミーユは率先してその仕事を引き受けたのだ。それでも十分驚くべきことだったのだが、長い櫂を手に丸木舟へと乗り込んだ彼の顔は、普段の人の良いおじいちゃんという風体から、目元にもキリリと力がみなぎり、熟練の川の男とでもいうべき佇まいに変化していたのだ（写真9－11）。きっと、彼がルオー川の源流域をめざしたときにも、そんな顔をしていたにちがいない。ただ、残念なことにその冒険の詳細は聞けずに船旅を終えてしまった。いかなる理由で、源流域を訪ねようと思い立ったのか……。

写真9-11 大量のポリタンクとともに出発するパパ・カミーユ

若者のなかで、「主任」ことワンバ村のアルフォンスは、キンシャサでパソコンを使った情報工学を学んでいたそうで、定期船での移動の経験者でもあった。彼は二〇〇五年に遡上したというが、そのときは乾季だったために乗っていた定期船が中州に引っかかってしまい、雨が降って水位が上がるまで二週間も足止めを食ったという。定期船が座礁した現場も通り過ぎたが、本当に川の真ん中であり、もし自分たちの船があんなところで座礁したらいったいどうしたらいいのだと不安になった。

日没後に停泊し、おいしい食事をとった後のリラックスした時間は楽しいものだった。船は、われわれ三人の日程の都合もあって、昼夜を問わず進む。夜間の航行は月明かりと懐中電灯を頼りにおこなうため、日没後は月が出るまで着岸して待たなければならない。このタイミングで夕食としばしの休息をとるのだ。食後は、どこからともなくロトコが出てくる。船内には、文字通り売るほどロトコが満載されているのである。村の選抜メンバーだけでなく船員たちも、自分たちが売って小遣い稼ぎをするためのロトコを積み込んでいた。道中の楽しみのための分もまた然りである。酒を飲めば、話が弾む。選抜メンバーのなかには酒を飲まない者もいるが、酒の席ではみな嬉々としてくだらない話に花を咲かせる。タカムラが昔の彼女に手ひどく振られた話で笑いと同情を誘うと、今度はアルフォンスがキンシャサで酷い女に引っかかった話を披露する。その次は僕、次は松浦さん……というように、話はどんどん弾んでいき、真っ暗な水面に笑い声が響き渡る。そして、ひとりまたひとりと寝床につき、日が変わるころに再出発する。寝床から外を見上げると、日本では絶対に見られないような見事な星空が広がっている。満天の星空の下、月の明かりを頼りに船は進んでいく。空模様や移りゆく風景を眺めながら、みんなでとりとめもない話をするのが僕らの船旅での日課であった。とにかく、時間だけはたっぷりあるのだ。

## タカムラの活躍

ウネウネと曲がりくねった川を進むたびに少しずつ川幅は広がり、カーブは緩やかになり、森の木々に埋め尽くされた空もその面積を大きくしていく。旅の進行につれて、僕の心も徐々に晴れやかになっていく……となれば良かったのだが、むしろモヤモヤとした気持ちを抱えるようになっていった。それが何に対してなのか自分でもよくわからず、ボーッと物思いに耽る時間が多くなっていた。

そんな僕にかわって、というわけではないだろうが、船旅ではタカムラの活躍が光っていた。彼は、本業である河川交易商人の調査のおかげで船旅に慣れており、僕や松浦さんが気づかないようなことをよく見抜いた。たとえば、船員の食事がそうだった。船旅が始まってからほどなくして、彼は船員たちが心なしか元気がないことをいち早く察知した。タカムラが確認すると、船員たちはやや気恥ずかしげに食事が十分ではなかったことを認め、「食べ物がなければ、我慢して寝るだけさ」と言うのだ。僕が慣れ親しんだワンバ地域の住民は、直裁に要求を伝えてくる人が多いため、何だかこちらの調子が狂う反応であった。この一件から、タカムラ主導で食事の準備態勢が見直された（写真9－12）。

写真9–12 調理用のボートで一服するタカムラ。一服がてら、食事係の面々に食料が十分か確認を怠らない

また、タカムラは、事あるごとに村の選抜メンバーに対して、「トバテラ・ビュジェ！（予算を守ろう！）」と唱え続けた。そして、道中で漁師から魚を購入する際にも率先して値切った。彼は、今回の船旅の経費が際限なく膨れ上がることを恐れており、われわれの予算に限りがあるということを選

抜メンバーや船員、そして組長にアピールしなければならないと強く意識していたようだ。これは、タカムラから選抜メンバーへの助言でもあった。それぞれの住民組織の中心メンバーである彼らに、予算に合わせて活動の計画を立て、身の丈にあった活動を考えて確実に実行し、少しずつ活動の規模と予算を大きくしていく、ということを理解して欲しかったのだ。住民組織のメンバーたちは、予算案や活動案など、えてして高望みしがちであり、それが実現しない現実とのギャップに失望して活動自体を放棄してしまうことが多々あった。今回の船旅に同行したメンバーにその二の舞になって欲しくなかったのだろう。やがて、「トバテラ・ビュジェ!」は船旅の仲間の合言葉となった。

きわめつけが、船が砂地に座礁した際の対応であった。船員や選抜メンバーたちは、船を押すためにパンツ一丁になって夜の薄暗い川に飛び込んでいく。しかし、彼らが押しても引いても船は微動だにしない。これを見たタカムラは、躊躇なくズボンを脱ぎ捨てて川に飛び込み、一緒に船を押し始めた。僕と松浦さんは、飛び込まなかった。怪我をするリスクがあったし、僕は何より夜の暗い水面が怖かった。この一帯は、堆積した砂で水深が浅くなっているのか、あちこちで草が水面から顔を出しており、そういうところにはヘビが巣食っている可能性があると二〇一一年の船旅でも注意されていた。だから、川に飛び込んだタカムラを見て、向こう見ずだと思った。でも、その姿には、彼のコンゴの人々とのかかわり方がよく表れていると感じた。そして、そんなタカムラの姿を目の当たりにして、船旅の間じゅう、僕がモヤモヤとした気持ちを抱えていた理由にも思いいたった。

## 自分なりの地域住民とのかかわり方

僕が空模様を気にしながらボーッと頭の中で考えていたのは、まさにこの地域住民とのかかわり方についてだった。ボンガンドの人々とのこれまでの、そしてこれからの付き合いについて、どう考えるべきなのか。

たとえば、タカムラと松浦さんのあいだにも地域に対する貢献や支援のあり方に対して考え方のちがいがある。タカムラが重視するのは、研究者などの外部アクターに頼らずとも、地域住民が自分たちだけでさまざまな事業をおこなうための下地となる仕組みづくりや、そのために必要な考え方を伝えることである。しかも、一方向的に与える／伝えるのにとどまらず、彼はみずから率先して動く。東部の調査地の方では橋の建設までやったというが、本業の調査はどうしたんだというツッコミは脇に置いて、そんな学生を他には聞いたことがない。彼は、そうやって自分が率先して活動しつつ、自分が来られなくなる日のことを常に意識して動いている。

他方、松浦さんは、研究者がワンバ地域に調査に来て、地域住民とかかわり続けることを重視する。ワンバ地域は、世界でも類を見ないボノボ研究のメッカであり、調査が開始された一九七〇年代から、戦争の時期を除いて研究者が継続的に入っており、研究チームとして予算の許す範囲で住民への支援もおこなってきた。戦後は、研究者が増えてきたことと、地域の経済状況（と行政サービスそのもの）が落ち込んでしまったことから、病院や学校の建設、医薬品や学用品の援助から、学生への奨学金の支給、果ては道路整備などの公共事業まで支援を拡大している。そのために研究者自身が寄付金を募ったり、支援プロジェクトを立ち上げたりするようにもなっている。調査のために住民による協力が必要な研究者と、生活のために研究者を必要とする地域住民という、お互いがお互いを必要としている状況なのである。このため、松浦さんの考える住民への支援とは、地域住民だけで回していくようにするのではなく、研究者の存在を前提としている。地域住民は、研究者を「うまく利用」して生活の向上をめざし、研究者は地域開発事業に積極的に関与しながら、それ自体も研究の対象にしてしまうという、俗な言い方をすればWin-Winな状態をめざしている。

では、僕の立場はどうか。僕の場合、ワンバ村に隣接しているが、ボノボ調査とは直接関係のないイヨンジ村で調査をおこなっている。もともとこの村で調査をおこなってきた木村さんと僕の他には、この村を拠点にしている研究者はおらず、ボノボ調査の拠点となっているワンバ村ほど質・量ともに手厚い支援をすることはできない。もちろん、木村さんも僕も、個人ができる範囲で、学校建設や学用品・医薬品の支援、奨学金の支給などをおこなってきたが、ワンバ村に比べれば小規模である。木村さんの引退が間近であるため、このまま行けばイヨンジ村の調査と支援活動は僕が引き継ぐことになることはまちがいなく、自分なりの見通しを持っておく必要があるのだ。

しかし、これがなかなかに悩ましい。まず、ワンバ村とはちがって、研究者がたくさん来て、常に誰かが村に入っているような状態ではないし、今後もそうなる見通しはない。木村さんも僕も、長くて年に二か月、短いときは数週間しか村に滞在することができない。住民は、一年のうちの大半を研究者の存在なしに生活するのであり、研究者の存在を前提とした松浦方式を単純には採用できない。一方、タカムラの理想とする住民の自立にはおおいに賛同するが、そのようなことを構想できるのは、彼の調査地がキサンガニという一大経済拠点の近くにあり、コンゴ河の本流域に近いため交通の便が良く、外国籍企業も活動しているという、地理的・経済的な要因に支えられているからでもあると思う。ボンガンドの居住する地域は、すでに述べてきたように、このすべてが欠けている。彼らは、戦争の傷跡からなかなか抜け出せずにいるわけだが、そのカギとなる交通インフラの整備は、個人レベルはもちろん、現状では地方行政レベルでもとうてい解決できない大きな問題となっている。この水上輸送プロジェクトも、陸上交通網の寸断という困難な現状を打開する方途として立ち上がったのだ。

また、タカムラのように自分が来られなくなる日のことを見据えて、という気持ちもあまりない。どうも僕は、良くも悪くも押しが強くてうっとうしいボンガンドの人々とウマが合うようで、調査をおこなうたびに、彼らのことをもっと知りたい、彼らがこれから進む道の行く先を見てみたい、という思いが強くなっていく一方である。……いや、これは言い過ぎで、調査の終わりにはもう二度と来るか！　と思うこともしばしばだが、帰国して数か月すると、ふとボンガンドの人々との生活のことを考えている自分に気がつくのだ。「アフリカの毒」とはよく言ったものだが、僕の身体はもう手遅れなほど毒に侵されているのだろう。こうなると、ボンガンドの人々、とくに僕が調査をおこなっているイヨンジ村の人々とは、一蓮托生であると思えてくる。

こういうわけで、僕はボーッとしながらも、自分なりの地域住民との付き合い方について、ああでもないこうでもないと考えを巡らせていたのである。すぐに答えが出るものではないが、僕にとってボンガンドの人々との関係が、切っても切れないものになっていることはわかってきた。僕だけで頭を悩ませていても答えは出ないが、だからこそ、その都度、村の人々とよく相談することが必要であり、そうやって僕のかぎられた時間と能力のなかで彼らの活動を後押しするような何かを一緒に考えていくことが大切だろう。そんなことを考えながら、僕はバンダカの地を踏んだ。

# 第10章 重荷を分け持つ

高村伸吾

## リーダーの仕事

リンゴンジを出港してからの船旅は順調だった。組長の仕事には常に規律があり、当初は不安を感じていた僕にも希望が湧いてくるようになった。組長は、ひとつひとつの仕事を決しておざなりにせず、しっかりと手本を示しながら船員に指示を飛ばす（写真10－1）。出航する際には、プラスティック容器から滴ったヤシ油を指し、「これは血の一滴なのだから、こぼれないように慎重に扱わなければならない」と若手の船員の注意を促した。こうした指示にくわえて彼は、重い容器をみずから運んで積み替え作業をおこなったり、スコップで砂利や粘土を整

写真10－1　進路を示す組長デュドネ

写真10－2　コンゴ河を往来する大型船マスワ

形して調理用の五徳を丸木舟に設置したりと、つねに実践を通じて仕事のあり方を指導する。「仕事は適切になされねばならない」というのが彼の口癖で、船員たちのみで開かれる夜のミーティングでは、愛嬌があるもののしっかりとした口調で、その日にあった出来事を総括しながらこの言葉を繰り返していた。

人々が寝静まったあとに語られる組長の言葉に耳を傾けていると、コンゴの知恵ある古老が人々をどのように導いていたのかがおぼろげながら見えてくるようで興味深かった。彼は決して口調を荒らげることなく、相手がその言葉を自分のものとして嚙み締められるようにし、ゆっくりとひとつずつ仕事を示していく。日本人を交えた船旅に気が緩みそうな船員を見つけると、そっと呼び止め、「客人を無事に送り届けることが一番大切なことだ。今は仕事に集中しなさい」と言い含める。怒気ははらんでいないが、そう諭す組長の表情にはリーダーの威厳が感じられた。刺々しい表現はなくとも、彼の言葉には経験に裏打ちされた重みがあり、誰もが従わねばならないと思わせる力があった。数日間の船旅を共有するなかで、僕は彼の指導者としてのあり方に感服した。決して急がず、しかし、仕事には十全に備えるというその姿勢には、これまでコンゴ河を大型船マスワで幾度も往復してきた彼の経験がうかがわれて心強かった（写真10－2）。

写真10－3　都市と農村を結ぶバリニエ

本来、河の仕事には大きなリスクがつきまとう。商品の長距離・大量輸送を可能にする河川流通は、紛争後の社会状況下でますます重要性を増しているが、それに比例して近年トラブルも頻発している。多くの船が座礁や沈没などの事故に見舞われており、とくにコンゴ河のような大河で事故が発生した場合、パニックに陥った乗客の多くが岸辺までたどり着けず、数十から数百の人命がいっぺんに失われるという。長距離交易に従事する商人たちは、僕らには決して想像できないような恐怖と重圧にさらされている。僕の調査地であるイサンギ周辺でも、バリニエと呼ばれる木造船による旅客輸送業が急速な発展を遂げている一方で、大きな事故が起こっている。ある夜間航行中の事故では、責任者が訴追を受け、事故後一〇年近くがたった現在でも遺族に対する賠償問題がくすぶり続けるなど、地域社会に傷跡を残している。実際に事故に直面した商人は、「人々は河で死に続ける。それでも生きるために、バリニエに頼らなければならない」と語った（写真10－3）。河は、人々に富への可能性を開くけれど、ときにその命すら飲み込んでしまう恐ろしい場所なのだ。

河川航行にともなうリスクにくわえて、われわれ外国人をはるか八〇〇キロメートル先のバンダカに送り届けるという責務をともなった今回の旅は、組長にとって普段以上に気をもむ仕事だっただろう。コンゴの地方役人にとって、往来する流通業者からの賄賂は重要な生活の糧であるため、各地に設けられた検問所では長時間の引き止めにあい、賄賂をめぐる交渉を余儀なくされる。流通業者だけなら、それまで培った人間関係や交渉術によってこれらの障害をかいくぐっていくのだろうが、一行に外国人がいるとなると事情が変わる。港に停泊すると、外国人の来訪を聞きつけたデージェーエムの役人がやって来る。交渉に次ぐ交渉に辟易させられつつも、最後に談笑できる落とし所を見きわめながらやり取りせざるをえない。

外国人を守らなければならないという厳しい条件のもとで組長は、デージェーエムとの交渉の要所要所で顔を出し、決して会話の主導権を渡すことはなかった。自分たちの利益を最優先しながら老獪に交渉を進めていく彼は、とても頼もしかったが、同時に彼のしたたかさに対して危惧を抱くようにもなった。いっときの気の緩みが致命傷になる河川を生き抜く流通業者は、常に頭のなかでリスクを計算し、抜け目なく利得を積み上げるチャンスを模索している。運航にともなうリスクだけでなく、人間関係においても、彼らはこうした計算を怠ることなく、相手の表情から思考を読み取り、交渉のさなかに詐術や圧力を交えながら自分の望む結果をもぎ取っていく。河川交易民ロケレの格言に「真実は人を傷つける」というものがあるが、商人にとって詐術は自身の生存を担保するうえで欠かせない美徳のひとつでもあり、相手の話を額面通りに受け取っているといつの間にか主導権を握られてしまう。それゆえ、商人としてキャリアを積み上げてきた組長の仕事ぶりに尊敬の念を覚えつつも、心のどこかで僕は警戒心を緩めることができなかった。

実際、日常会話の端々に、僕らに対する様々な重圧が挟み込まれていた。彼はたびたび燃料費に言及しており、帰路のガソリンの手配についてバンダカでかなりの金額を請求されることが容易に想像された。船員グループの運営や航行にともなうリスク対策に鑑みれば、可能なかぎり利益を最大化するという彼の考えにもうなずけるが、外国人を相手に青天井になりがちな予算要求を受け続けるのは、あまり心地の良いものではない。両者の立ち位置はできるだけ水平であるのが望ましいと考える僕は、情報の面で圧倒的に優位な組長の重圧をいかに切り返すかに神経をとがらせなければならなかった。

## 亀裂の予感

地域の人々と協力するという目標を掲げてはいるものの、村人と船員はほとんどが初対面という即席チームであり、メンバー全員が共有できる基盤を見出し、帰属する集団を超えた協力関係を築くことは難しい。出自や背景はもちろん、それぞれの思惑も異なるため、人々のあいだには小さな行きちがいや不和のもとがいくらでもあり、そこかしこに摩擦や誤解をもたらす要素が転がっている。プロジェクトを運営するためには、その場その場の雰囲気に神経を研ぎすませながらトラブルシューティングに奔走するしかない。

小さな不和の種を目の前にしたとき、相手が何を辛いと感じているのかよく耳を傾けなければならない、と教えてくれたのは、リレコという村の伐採会社で働くパパ・オッギーだった。彼は橋の再建プロジェクトで人々との交渉に困憊していた僕に、「この国でやっていくためには共感を忘れてはいけないよ」とつぶやいた。すべての問題を解決することはできなくても、相手が何を辛いと感じているのか理解しようと努めることなら誰にでもできる。とりわけコンゴの人々は、相手の感情をあたかも自分のものであるかのように感じ取る力を持っているから、ひとりひとりの気持ちに思いをはせることができれば、自然と仕事は進んでいくという。彼の贈ってくれたこの教訓が僕の振る舞いにも影響していたのか、不思議と船のメンバーから僕に対して届けられる声は多かった。

こうした声の中でもとくに大きな懸念を感じたのは、アルフォンスの「メンバーは三つのグループに分断されている」という言葉だった。出発して数日、勢いで旅程をこなしてきたものの、気づかないところで不満が蓄積していたのだろう。よくよく話を聞いてみると、船員や僕ら研究者と比較して村のメンバーの食料の配給が少ないことや、デージェーエムとの交渉に村のメンバーが同席できないことに対して苛立ちを感じていると打ち明けてくれた。たしかに、全員に十分な食事が行き渡っていたかといわれると不安がよぎる。最後にくわわった僕は、旅での合意事項について理解できていなかったので、食事の配給が誰の管轄であるかわからず、ひとりひとりの食事についてまで気をまわす余裕がなかったのである。船員にも聞き取りをしてみると、どうやら彼らにも十分な食事が行き渡っていなかったようで、満足な食事をとっていたのは僕ら研究者だけだったというのが真相のようだ。こうした見落としは、商人の仕事のあり方からいって憂慮すべき事態である。河川流通の仕事では、食事の面でメンバーの士気を損なってはならないという不文律があり、商人たちは、たとえ支払える賃金は十分でなくとも、雇った従業員が決して飢えることがないよう細心の注意を払っていた。仕事の基本を見落としていたことを反省しつつ、早急に対応策について考えなければならない。

とはいえ、研究者がどこまで費用を負担するのかは難しい問題である。言われるままにいたずらに予算を投入すれば、関係のバランスを崩すことにもなるからだ。すでに船の手配から仕入れにいたるまで、現地の経済水準からすれば相当な規模の資金を投入しており、これ以上金銭の授受が偏るのは、船員や村の人々と持続的な関係を築くうえで有益なものであるとは思えなかった。一度支援を始めると、多くの期待が集まりさらに支援を求められるというのは通例で、どこかで一線を引かなければ収集がつかなくなってしまう。「豊かなものから貧しいものへ」という平準化が現地社会の重要な価値観であることは承服しつつも、同時に、僕らの考えや論理を理解してもらえるように努めなければならない。くわえて、外部者の資金に依存して課題を解決してばかりいれば、彼ら自身が試行錯誤する機会を奪うことにもつながる。コミュニケーションを取りつつ、みなが参加できるようプロジェクトの幅を広げていかなければ、いみじくも松浦さんが指摘しているように「大規模だが一過性に終わって、後に何も残らない援助」に陥る危険性すらあるのである。

それぞれのグループの力関係に考えを巡らせながら、結局僕が選んだのは、相手に自分たちの状況の理解を求めながら、できるかぎり相手にも配慮するという折衷案だった。アルフォンスをはじめとする村のメンバーには、「イエスのように魚を無限に増やすことはできない」と、彼らに伝わるように聖書の故事を引きつつ、プロジェクトの経緯や研究者側の限界を嚙み砕いて説明し、そのうえで、彼らにも食料調達の仕事に取り組んでもらうことにした。市場や河川での食料調達では、僕も率先して値切り交渉をおこない、そのたびに「予算を守らなければならない」と繰り返した。

## 闇の奥から船を押し出す

その後も可能なかぎりメンバーとコミュニケーションを図るように努めたものの、言葉だけではなかなか文化の壁は越えられない。自分が意図するようには物事は進んでくれなかった。そうした僕らの関係に大きな変化をもたらしたのは、バサンクスの町を出たあとに生じたアクシデントであった。九月一四日二〇時一〇分、予定通りに進んでいた船が砂州に乗り上げ、まったく身動きが取れなくなってしまったのである。

すぐさま組長の指示が飛び、オティス、モコロらが船体を押し出そうと試みる。それまでにも座礁したことはあったが、そのときには水先人が川に降りて押して船長パパ・デサがエンジンを吹かせばすぐに脱出できていた。しかし、このときは本格的にはまり込んでしまい、船はまったく動かなかった。一〇分、二〇分と時間が経過しても、けたたましいエンジン音が響くばかりだ。さすがにらちが明かないと、組長は普段は滅多に出さない大きな声で、「男たちは船から降りろ」と号令をかける。船に残っていた面々がひとりまたひとりと川に飛び込み、船体を押し出そうと力を合わせる。それでもやはり、動きそうにない。その段になって初めて僕は、組長の言葉を反芻する。パパ・デサは、僕の様子を察して「危ないから絶対に降りるなよ」と念を押したのだが、いてもたってもいられず川に飛び込んだ。「俺も男だったな」、そう思った僕は、気がつくと船の縁をつたって船尾へと向かっていた。

船体後部では、すでに七人ほどがひとかたまりになって船を押していた。水深は八〇センチメートルほどだっただろうか、水がかなり冷たかったのを今でも覚えている。降りてみると、船体の大部分が砂州につかまっていることがよくわかった。組長は、懐中電灯で四方を照らして砂州の状態を確認しながら脱出ルートを探し、僕らは船底に体をねじ込んで、引っかかっている砂を手でかきだす。だが、やはり動かない。モコロが潜ってどこが引っかかっているのかを再度確認する。みなで方向を見定め、船を押す。砂をかき出したのが奏功したのか、すっと船が動き始めた。力いっぱい船体を押すと、突然水深が深くなり、全身がずぶ濡れになった。水浸しになりながらようやく脱出できるかと期待したが、その期待はほどなくして落胆へと変わる。船は、わずかに動いたあと、別の砂州につかまってピクリとも動かなくなってしまったのだ。

この水域は、あちこちに砂州が隆起していて、ひとつの砂州を越えても、たちまち袋小路にはまり込んでしまう。指示を飛ばす組長もどう脱出させるべきか見当がつかず、次第に全体の意志統一が図れなくなった。態勢を立て直そうとパパ・デサも水に飛び込み、気がつけば船に残っていた面々もみな川底に降りて声を張り上げている。アルフォンスは、周囲に群生した草をなぎ払って脱出ルートを探し、組長はそれをたどって進路を模索する。およそ一時間、みなで砂州と格闘し、どうにか有望なルートを選び出す。あとは押すだけだ。船に積まれた木材を持ち寄り、四人ほどが梃子をつかって船体を持ち上げ、かろうじて砂州から自由になった船を押し出そうと力を合わせる。しかし、船はまるで根を生やしているかのように微動だにしない。

ここで、村人のメンバーであるデュドネが、ボンガンドの言葉でみなに掛け声をかけた。唇をふるわせて「クルルルルル」という合図の音を響かせると、続いて「バカタミャ（腕に力を込めろ）」と大声で呼びかける。みなは即座にデュドネの掛け声に調子を合わせ、「ミャ！」と呼応する。「マコロソー（足を踏ん張れ）」「ソー！」、「シンバ（つかめ）」「シンバ！」、「カンガ（つかめ）」「カンガ！」、「トケンデ（行くぞ）」「トケンデ！」、「リボソ（前へ）」「リボソ！」。

デュドネの呼びかけと人々の声がまるでひとつの音楽を奏でているかのように重なり、「前へ」の号令を合図に、みなが力を一点に集中する。ようやく船が動いた。一度の掛け声ごとにわずか数十センチほどではあったが、一〇トン近い重さの船体が、少しずつ前に進み始める。そこからさらに数十分、僕らは船を押し続けた。デュドネの掛け声に合わせて、一歩また一歩とひとつの方向に向けて船体を押し出していく。ひとりひとりが声を重ね、力を合わせる。

ようやく砂州から脱出できたのは、二二時四〇分だった。二時間以上、水のなかで船を押し続けたことになる。いつの間にか操縦席に戻っていたパパ・デサがモーターに点火し、船はゆっくりと進み始めた。僕らは、歓声をあげながら船内へと戻る。船上から指示を飛ばしていた組長と不意に目があった。彼は、小さな声で「フェリシタシオン（おめでとう）」とつぶやいた。船を脱出させた

写真10－4　バンダカを臨む

達成感とともに、僕はこのときようやくみんなと繋がれたような気がした。それは、僕が初めてコンゴ河を下ったときに感じた感覚と重なるものだった。体は冷え切っていたが、大声をあげて互いを鼓舞しあい、船を脱出させるという、ひとりでは決して背負うことのできない重荷をみなで分け持つ。砂州につかまったのは想定外だったが、同じ苦難を共有するからこそ、互いへの理解が得られることもある。二時間以上、暗闇のなかで船を押し続けるという経験をともにすることによって、プロジェクトに参加しているひとりひとりが互いに重荷を担い合うという意識が生まれたような気がした。

もちろん、こうした意識をどこまで持続できるかは、今後も続く関係性のなかでいかに実質的な対話を積み重ねられるかにかかっている。そして、それこそが地域の未来を開くうえで不可欠であり、同時にきわめて困難な課題であることは言うまでもない。ひとつの障害を乗り越えるたびに、予期せぬアクシデントが生じるのがコンゴの日常で、この旅でも数々のトラブルに巻き込まれた。しかし、そうした障害を越えてようやくバンダカの港が間近に迫ってくると、正しい道を歩いているという実感も湧いてくるようになった。

前回のバンダカ来訪から五年の月日が経ち、そのあいだに僕もずいぶんこの国の現実と向き合ってきた。多くのコンゴの友人たちに助けられ、わかるようになったこともあれば、いまだにわからないことも数多い。ただ、少なくとも明らかなのは、コンゴ河をめぐる旅は、その都度、全身全霊をかけて精いっぱい取り組もうという自分の意志を呼び覚ましてくれるということだ。目的地を間近に臨み（写真10－4）、後ろを振り返ると、船の仲間たちが親指を立てて僕の視線に応えてくれる。おそらくこれからも様々なトラブルや対立があるのだろう。それでも、彼らのこの表情と歩むことができれば、きっと大丈夫だ。バンダカの風を感じながら、僕の脳裏にはそんな楽観がふっと浮かんできた。

# コラム6 「森の道」を歩く

木村大治

　ここまで何度か「長距離徒歩交易」の話が出てきた。コンゴ戦争によって交通網が寸断された結果、森に住むボンガンドたち(1)は、地域の産物を売り、お金やものを得るために、数百キロメートルの「森の道」を歩いて市場との往復をせざるを得なくなっているのだった。

　戦争の終結後、二〇〇〇年代半ばに調査地に帰って、私はすぐにその状況を見聞きすることになった（コラム1参照）。村の近くの市場で商品の出所を聞くと、かならず「キサンガニ」とか「トポケ(2)」といった答えが返ってきたのである。私の調査地ヤリサンガ集落でも、大きな荷物を背負い、ときには生きたブタやヤギを引きながら通り過ぎていく人々の姿を見ることができた（写真C6―1）。何百キロメートルもの「森の道」を歩き続けるという信じられない苦行のことを聞くにつけ、私の中ではその交易が実際どのようなものか見てみたいという気持ちが次第に強くなってきた。そして、はるかなキサンガニや、大きな市場があるというロマミ川沿いの町ヤフィラのことを思い描いたのである。

(1) ボンガンドだけでなく、他の多くの民族集団も同様な状況におかれているものと思われる。

(2) トポケはキサンガニとボンガンドの居住域の間に住む民族集団で、彼らはトポケの地に開かれた市場で物を売り買いすることが多い。

写真 C6－1 長距離徒歩交易に向かう村人たち。ヤギやブタを連れて歩いている

最初の機会は、高村君がはじめてフィールドに入った二〇一三年にやって来た。いつものようにセスナでワンバ地域に入った私は、村での調査の後、高村君とバイクでキサンガニまで走り、そこに高村君を置いてワンバ地域に帰ってくるという計画を立てた。私たちは、信頼できる運転手アデラールと、ワンバ基地で運転手をしていたミッテランに運転を任せた。本書に何度も書かれているように、バイクの旅はなかなか過酷なものだったが、三日目の午後にようやくヤフィラ市場にたどり着いた。そこでまず聞こえてきたのは、トゥルルルルという高いエンジンの音だった。市場の入口近くに、米の籾摺り・精米をおこなう小屋が立ち並んでおり、米がいっぱいに詰まった大きな袋が並べられていた。着いた日は、ちょうど週一回の市日にあたっており、ヤフィラはゆらめくような熱気に包まれていた。近所の女性たちが持ってくる野菜や芋、ヤシ油、おそらくワンバからも来ているだろうロトコなどの産品から、ラジカセといった工業製品まで、洋服、鍋、靴、薬、品物を売る店が数百メートルにわたって続い

ていた。その先に行くと、コンゴ河の支流ロマミ川に出る。河辺には、品物を積んできた丸木舟が数百艘も着岸していた。この市場をめざして、ボンガンドの人々は森を突っ切って歩いてくるのだ。

翌年からの調査でも、長距離徒歩交易について、村人たちにいろいろと聞いてみた。森を歩くには片道一週間から一〇日かかる、森の道の途中には泊まれる村やキャンプ地はほとんどなく、「道の上で寝る」、「雨が降ったらただ濡れるしかない」、等々。歩き慣れて強靭な彼らの体でもその行程はきつく、ミッテランが一〇代のころに初めてこの道を歩いてキサンガニに行ったときは、足が腫れ上がってしまったという。

曲がりなりにも彼らのことを「わかる」ために、同じことをしてみたい、というのが人類学者の衝動である。一緒にものを食べてみたり、酒を飲んでみたり、踊ってみたり。私も彼らとともに森の道を歩いてみたかった。しかしどう考えても、私の体力では全行程の踏破は無理である。森の中で歩けなくなってしまったら、背負われて村まで連れて出てもらうという恥ずかしいことになるかもしれない。――そこで私は一計を案じた。ヤフィラに行く村人に、GPSを持って歩いてもらうのである。私は二〇一四年の調査の帰り際に、ヤリサンガ集落で一番信頼を置いている若者、ディヤマンドに、ヤフィラまでGPSを持って歩くという仕事を依頼した。

そのあとにワンバ村に入った横塚さんが、ディヤマンドから回収してきてくれたGPSを開いてみると、みごとな行程が取れていた（図C6―1）。ディヤマンドらは、九月一四日から一〇日間かけてヤフィラに着き、帰りは五日ほどで村に着いている（九月二七日以降は、

図 C6－1

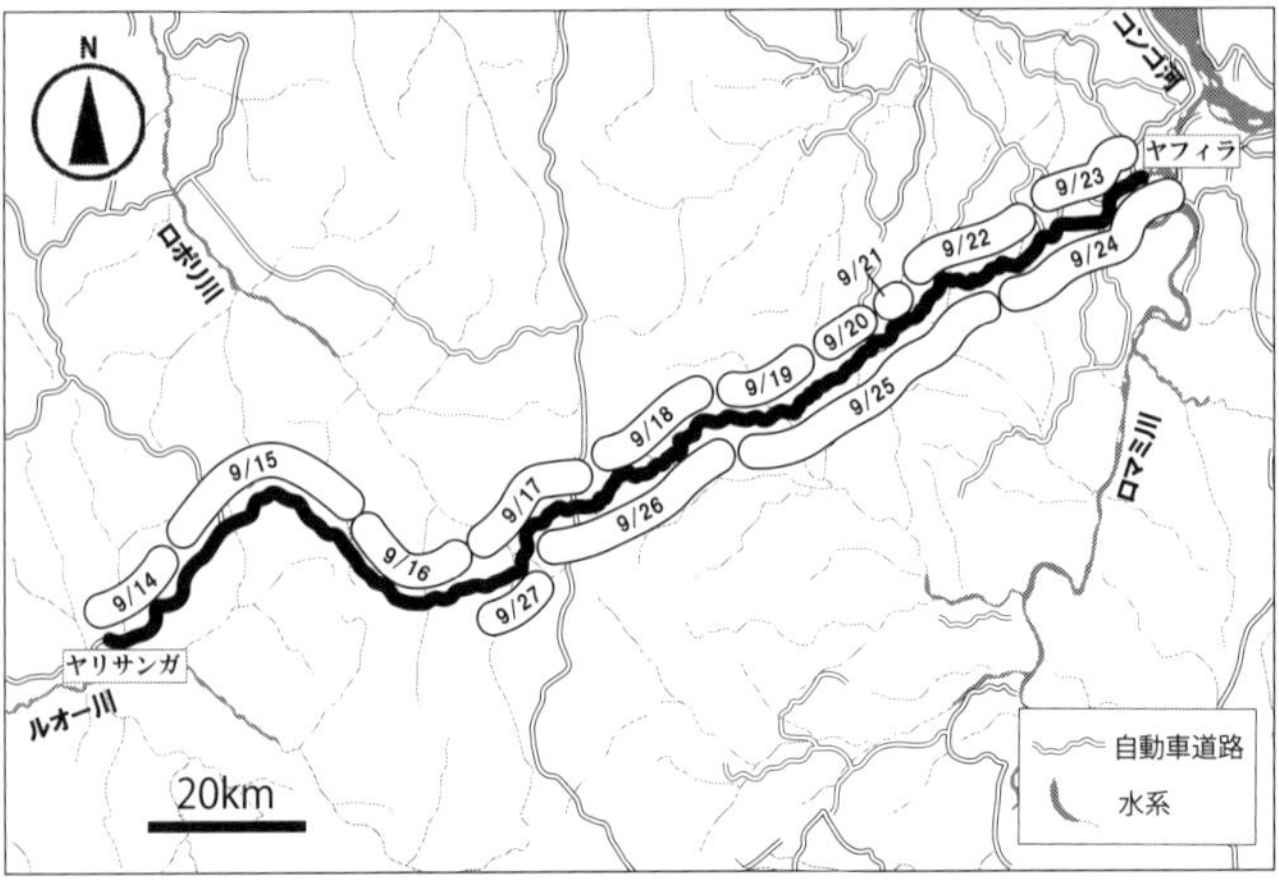


図 C6－2　五人の村人が GPS を持って歩いた市場へのルート。村人4と村人5はヤフィラとは別の市場（リガサ、ヤロングヴァ）へ向かっている

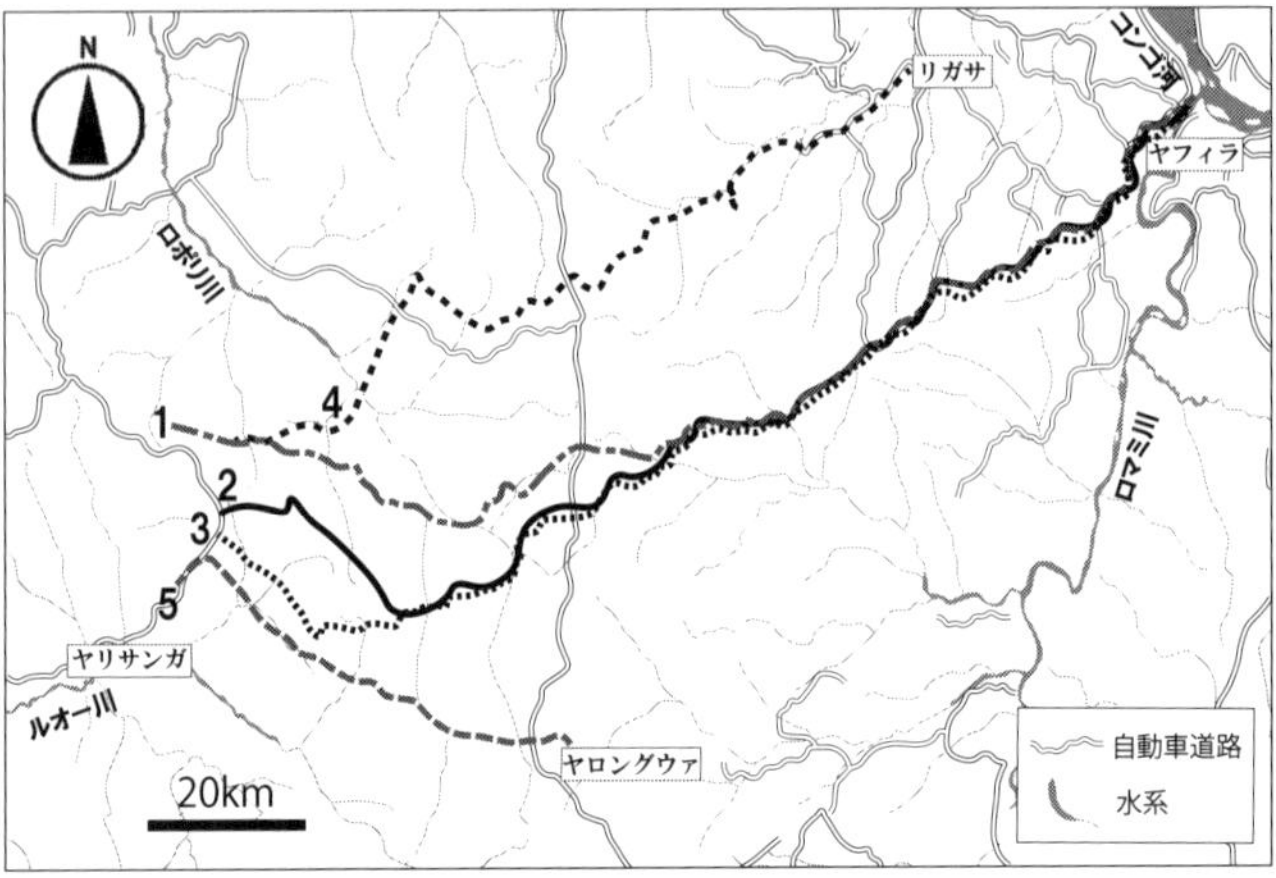

GPSの調子が悪かったらしく記録されていない)。深い森の中にもかかわらず、まっすぐな道筋になっているのが印象的である。長い年月の間に最短距離のルートが選ばれたのだろうか。行きは重い荷物を背負っているので時間がかかるが、帰りは荷物が軽いので早く歩けるのだという。ディヤマンドは、帰りは「ブトゥ、モイ、ブトゥ、モイ(*butu, moi, butu, moi*:夜も昼も、夜も昼も)」歩き続けたと言っていた。

しかし、はたして道はこの一本だけなのだろうか。それとも、もっと網の目状にルートが張り巡らされているのだろうか。次にそのことが知りたくなった。そこで二〇一七年、ヤリサンガ集落周辺の複数の村で、人を頼んで同じ形の調査をやってみた。その結果が図C6―2である。どうやら道は網の目状というわけではなく、村々から森に進入する複数の道が途中で一本に合流し、それがまっすぐにヤフィラに延びているらしい。さらに二〇一八年には、ワンバ地域の南を広くバイクで回り、村人たちに物を売ったり買ったりするのにどの市場に行くのかを尋ねた。それをまとめたのが図C6―3だが、ごく一部の村では西方のボクングという港町の市場に行くこともあるが、圧倒的多数の村からは、やはり「ヤフィラに行く」という答えが返ってきた(ただし南東の町イケラあたりの人々は、森の道ではなく比較的整備された東の自動車道路を通ってキサンガニへと向かっている)。「ヤフィラへ、ヤフィラへと草木もなびく」といったふうで、この市場は圧倒的な力でこの地域の人々を吸引しているのである。「なぜヤフィラに行くのか」と人々に尋ねると、必ず返ってくるのが「物の値段が安いから」という答えだった。東部のウガンダなどから運ばれて来た安い物資が、キサンガニを通り、河川沿いにヤフィ

図 C6 −3

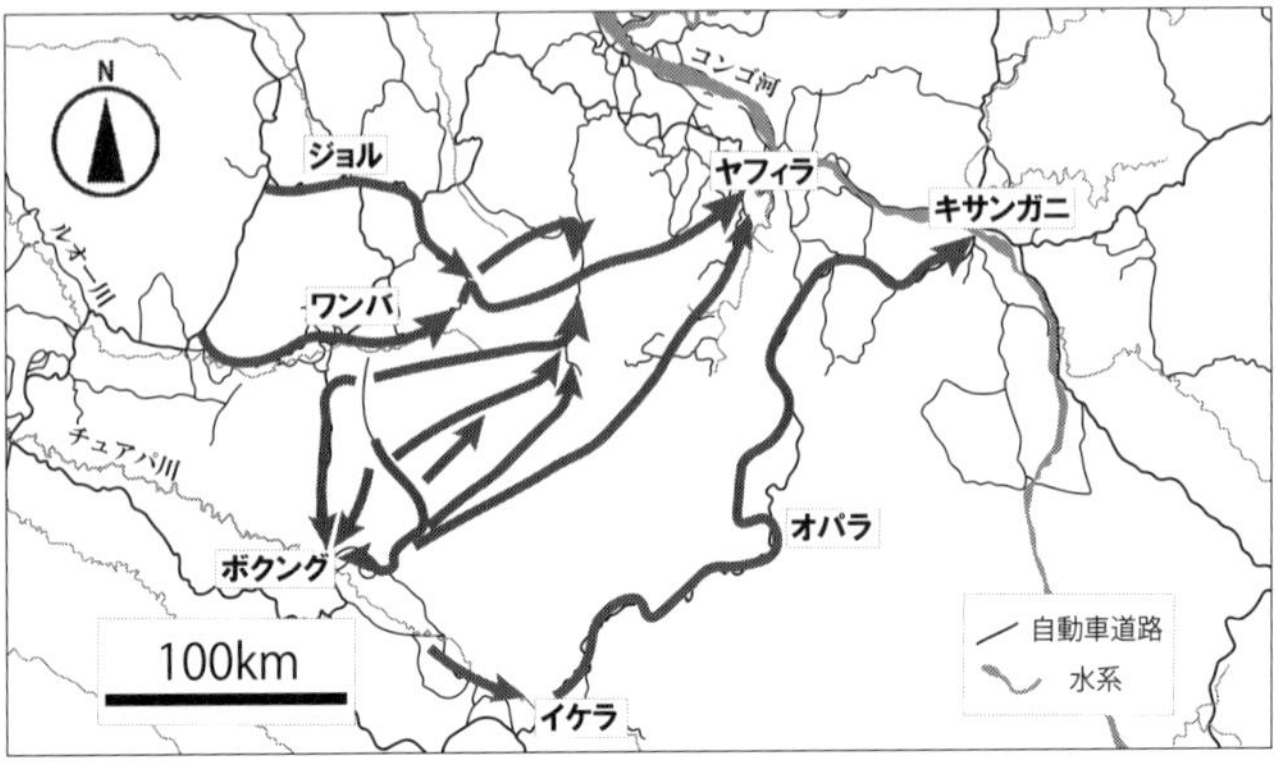


ラへと流入しているのである。

私は、やはり一度「森の道」を歩いてみたいと思った。地図（図C6－1）を検討すると、ディヤマンドらの通った道は、途中で一か所、自動車道路を横切っていることがわかった。そこで私は、全行程は無理にしても、自動車道路との交点までは行けるのではないかと思いついた。そこまでたどり着いたら、あとはバイクに迎えに来てもらうのである。私はその踏査を、二〇一八年の帰り際に決行することにした。交点の集落ヤンドンゲまで歩き、そのあとバイクでキサンガニに出る。この行程でも、ヤフィラまでの片道の五分の二程度、復路も含めると五分の一程度しかないのだが。

日本を発つ前から歩く覚悟は決めていたが、不安はあった。膝の調子がもうひとつ良くなかったのである。さらに、出発の少し前にあったフィールド実習で、雨の中で滑って左膝を打ってしまった。体を慣らすために少し長距離を歩いておきたかったのだが、あまり歩き過ぎて痛みが増すとまずいと思い、トレーニングはほとんどおこなわなかった。その前年に腰痛を患ったときに医者からもらった強力な貼り薬「ロコアテープ」も持参することにした。このテープは「貼る飲み薬」とも言われ、一日二枚以上貼ってはいけないというほど強い鎮痛作用を持っている。

行程について相談すると、村人たちはかなり厳密に出発する曜日を決めていることがわかった。ヤフィラの市場は毎水曜日に開かれるので、ちょうどそのあたりに到着できるように日程を組むのである。私はヤフィラまでは行かないが、彼らの通常の行程に合わせるとすれば、八月一九日（日）に出発し、その夜は自動車道路沿いのビコンビ集落で泊まり、森の中で二泊して、四日目（水）の午前中にヤンドンゲ集落に着くことになる。彼らはその後一週間歩き続け、次の日曜日に森の出口のヤエンゲという村にいたり、火曜日にヤフィラに着くのだという。

この行程（図C6―4）には、ヤリサンガ集落の四人の男性に同行を頼んだ。リーダーはロモコ・トーキンダ。よくうるさいことを言う人だが、しっかりしていて信頼はできる。ロケンゲ・ボカウ。物腰の柔らかな、私の三〇年来の友人である。あとは、バヤンゲラ・ボカソラとバヨモ・ベロンベというふたりの若者。交渉の末、ひとりあたり六万コンゴフランを払うことにした。荷物は最小限に留め、残りはスーツケースに詰めてヤンドンゲ村までバイクで持って来てもらうことにする。ただし、雨が降ったときのため、テントはザックに収めた。そのザックはロモコに持ってもらい、私は貴重品を収めた軽いデイパックの

図 C6－4

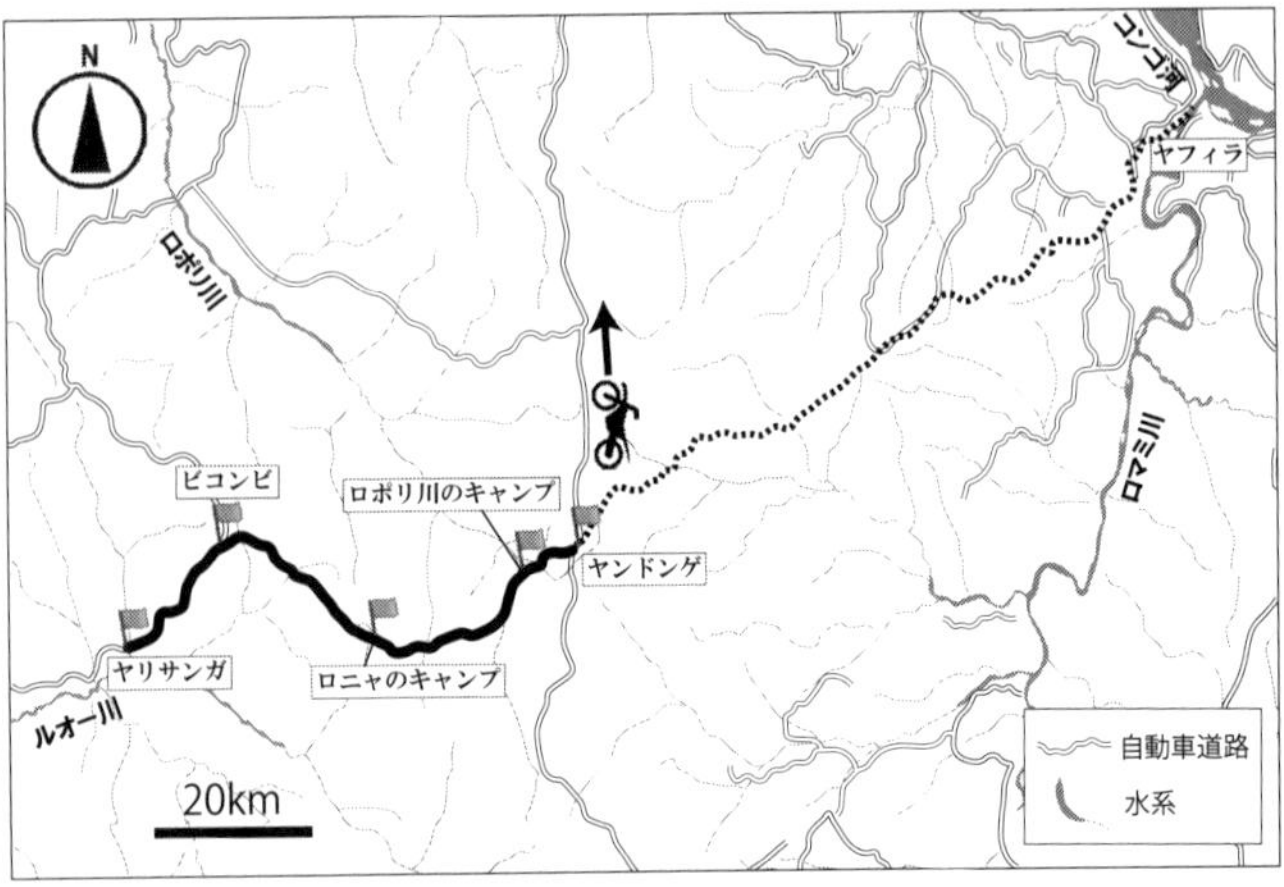


みを背負う。

八月一九日、出発の日。この日は二〇キロメートルぐらい歩いてビコンビ集落で寝る予定なので、昼ごろに出発すればいいという。給料の前払いなどをして、一一時六分にヤリサンガ集落を出る。一三時一〇分、八キロメートルのところの村で一休み。葬式をやっている。早くも足が非対称に痛くなってきて情けない。一四時三〇分ごろ、ポンビ村の村長の家で休み、昼食を頼む。村長に挨拶しないといけないのだが、なかなか帰ってこない。一六時七分、やっと飯が出てくる。ブルーダイカー（レイヨウの一種）の肉の煮付けとクワンガ（キャッサバを蒸して搗《つ》いたもの）。肉はかなり固く獣の臭いがしてたくさんは食べられないが、できるだけ腹に詰め込む。一六時三五分、やっと村長が来て少し話をする。一七時二六分出発。暗くなってからもひたすら歩き続け、一九時三四分ビコンビ着。この日の歩行距離は二三・九キロメートルだった。泊まるのは、ヤリサンガ集落の女性が嫁いでいる家だという。体を洗わせてもらい、そのあと酒を飲む。岡林信康の「山谷ブルース」の、「あとは焼酎をあおるだけ」という歌詞を思い出す。一緒に来た連中は、途中で買った獣肉を夕食にしていたが、そこまで腹も減ってないのでそのまま寝る。

　八月二〇日、夜はまあまあ寝られたが、足のあちこちは依然痛い。左膝にロコアテープを貼る。村の中で肉や蜂蜜、ヤシ油、クワンガの塊を購入する。ここからヤンドンゲ村に出るまでは、補給できるところはないので、みなここでクワンガの巨大な塊を買って背負っていくのである。バヨモがアブラヤシの葉であっという間に背負子を作り、そこにクワンガを入れる（写真C6—2）。

写真 C6－2　バヨモがアブラヤシの葉で作った背負子を背負う

　八時に村を出発。いよいよ森に入る。しばらく畑と二次林が続く中を歩き（写真C6—3、C6—4）、その後、一次林に入る。いくつか浅い川を渡るが、ロモコが「これは○○川」といちいち説明してくれる。彼らは川の位置と順番を正確に覚えており、それが森の重要な道しるべになるのだ。一一時二四分、ルイヤ川を渡ったところで、若い女たちが五人休んでいるのに出会う。小さい女の子も連れてい

写真 C6－3　木村のザックを背負い，キャッサバ畑の中を歩くロモコ

写真 C6－4　二次林の中を歩くロモコ

る。自転車やバイクでキサンガニ方面に荷物を運んでいるのは全員男なので、長距離徒歩交易をやるのも当然男だけだろうと思い込んでいたため、たいへん驚いた。このあとも、女性たちのグループに何度も出会ったが、どうやら人々は、五人程度でパーティーを組んで歩くようだ。パーティーは男だけ、あるいは女だけで組まれており、混成のパーティーは見られなかった。歩いているのは基本的に若い人たちで、さすがにこの過酷な旅は、年寄りでは無理なのだと思われた。

休み場は円形の広場になっており、腰掛けるのにちょうどいい丸太が横たえてある（写真C6－5）。「俺たちは（泊まる場合は）ここで寝る」とロモコが言う。こういった広場は、一〜二時間歩くごとに見られたが、場所は必ず川のそばだった。泊まって料理をするときに水を手に入れやすいからだろう。おそらく、長い年月のうちに形作られた休み場なのである。

女たちから、運んでいる酒を買ってくれと言われる。同じ値段で売れるなら、ヤフィラまで運んでいくよりもここで買ってもらった

写真 C6－5　森の中の休み場

方が、荷物が軽くなっていいのだ。ロモコはトマトペーストの小さな空き缶にいっぱい買って飲んでいる。こんなに歩いているときに酒に酔って大丈夫なのかと思うが、彼らはそういうことをよくやるのである。疲れが取れるかと思って、試しに私も少し飲んでみたが、逆にものすごくしんどくなってしまい、後悔した。

一六時一七分、急な坂をやっとの思いで下りきると川があり、その向こうに立派な森林キャンプが見えた。ロニャという名前である。今日は野宿ではなくここに泊めてもらうことに。この日の歩行距離は二八・一キロメートル。キャンプの主人たちは、近くに畑

写真 C6－6　森林キャンプに着いた若い女性たち

もつくって、ここに定住しているという。足のいろいろな場所がつぎつぎに痛くなり、もう限界である。若いふたりはさっそく、途中で買ったビヨ（ネコ科の野生獣）の毛を焼いて料理を始める。人々がつぎつぎと到着するが、その半分は女性である（写真C6―6）。食事前に近くの小川に水浴びに行くが、左足の腱が痛くてまともに歩けない。ビヨの肉とクワンガをもらうが、疲れすぎて食欲もなく、ほとんど食べられない。夜中にまたロコアテープを貼った（写真C6―7）。

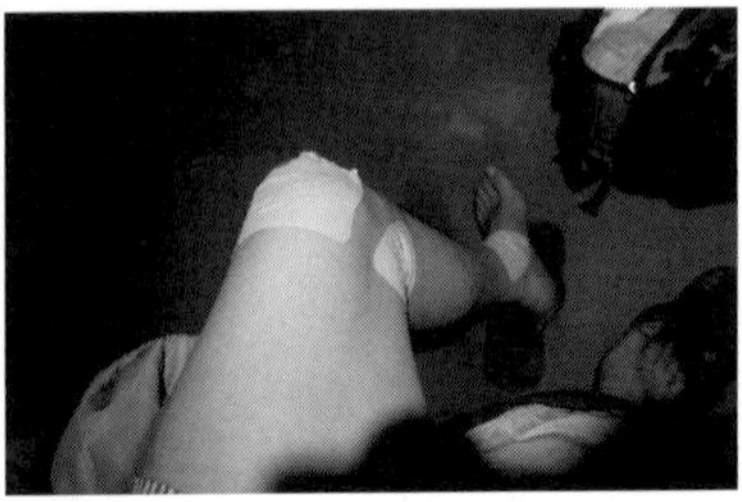

写真 C6－7 痛んだ足にロコアテープを貼る

　八月二一日、起きると何とか足の痛みは引いていた。キャンプには二〇人以上の人々が泊まっていたので、ひとりずつ、どのぐらいの重さの荷物を運んでいるのか量らせてもらった。お礼は五〇〇コンゴフランずつである。一歳ぐらいの双子の子どもを連れてきている若い女性がいて、「私は双子を運んでいるのだから、（二倍の）千フランくれ」と言われた。荷物調査の結果は図C6―4のとおりで、ひとり平均二一・二キログラム、重い人は三〇キログラム以上の荷物を背負っていることがわかった。運んでいる品目はロトコ、干し魚、それに道々の食料となるクワンガが主だった。ブタやヤギなどの家畜を連れて歩いている人を見なかったので、なぜなのか聞いてみると、家畜は歩くのが遅いので、そういった人たちは少し前に村を出ており、われわれより先にこのキャンプを通過してしまっているのだという。

　六時三〇分、ロニャのキャンプを出発する。

前日と同様、森を突っ切り、小川を渡ることを繰り返す。巨木が倒れて道を塞いでいるところでは、上をまたぎ越したり下をくぐったりしないといけない。数時間ごとに休憩場所で休む。ぐったりと横たわっている女たちがいる。森の果実ボリンゴの種をしゃぶっている人たちもいる。私たちも持ってきた蜂蜜を分けて飲むが、甘さが体にしみる。前日喉を通らなかったビヨの肉も、今日はおいしく食べられる。

　歩いている人たちは、ときおりとんでもなく大きな声で会話を交わす。ある男は、「女はいい、女がいるから男はやっていける」などということを、延々と三〇分も喋り続けていた。また、私の前を歩く男と後ろを歩く女が口げんかを始め、一〇分ほども激しく言い合っていたこともあった。それらはかなり演劇的な語り口にも思えたが、この人たちは、そのようなやり方で歩き続ける苦痛を紛らわしているのかもしれない。このころにはもう各村からの道の合流が終わり、ヤフィラに向かうただ一本の道に入っていた。多くの人が通るので、道は少し掘れて低くなっている。

図 C6－4　交易する人の荷物の重さ

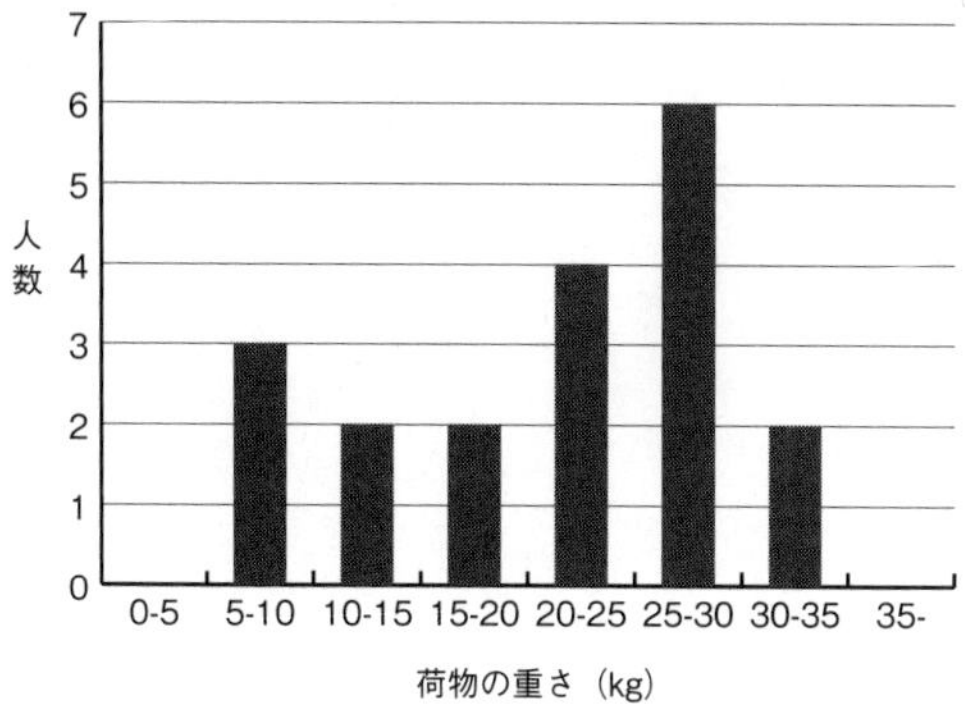

写真 C6－8　ロポリ川を渡る

「この道は六月三〇日通り[3]だな」などと冗談を言ってみたが、誰も笑ってくれなかった。

一六時三五分、ロポリ川を渡る。チュアパ州とチョポ州を隔てる広い川で、コンゴ国内ではここで一時間の時差が生じる。丸木舟で渡るのかと思っていたら、向こう岸に向けて倒れた巨木の上を歩くのだった（写真C6－8）。ここで落ちたら恥ずかしいので注意して渡る。「痛む足を引きずりながら」という月並みな表現がまさに当たっている状態である。麻丘めぐみの「足にまめをこさえて街から街」という歌詞が何度も頭の中で繰り返される。疲れて歩き続けているときよくあることだ。一六時四九分、広場に出る。今日はここで寝るとのこと。この日の行程二八・五キロメートル。家も何もないただの広場なので、端にひとり用のテントを張る。狭いながらも楽しい我が家である。連れの男たちは、借りてきた穴だらけのブルーシートを広げ、料理を始める。やがて到着したパーティーが四つ、それぞれたき火を囲んで夕食を食べ始めた。

テントの中で少し酒を飲んで眠る。二二時

三四分、テントの近くにサファリアリの群れがやって来た。このアリたちは、出会う生きもののすべてに噛みつき、食い荒らしてしまうという恐ろしい連中で、襲われるとテントの生地がぼろぼろになってしまう。私は慌ててテントを引きずり、アリの来ない場所に移動した。二二時五四分、雨が降り始める。みんな悲鳴を上げながらテント代わりのブルーシートの下に逃げ込んでいる。私は気の毒だと思いつつも、ひとりテントの中で横たわっていた。テントの下を水が流れる音がした。

八月二二日、夜中に雨は止んで、空は晴れている。五時にテントから出ると、みんな黙って火にあたっている。雨のときどうしていたのかと尋ねると、ブルーシートは穴が開いていて役に立たず、大きな木の下で雨宿りしたり（それでもかなり濡れただろうが）、近くにある森林キャンプに避難したり、あるいは濡れるがままになっていたりしたそうである。もう少し先に行けば、ペト（屋根を葺くのに葉を用いるヤシの一種）が沢山生えているので、それで簡易シェルターを作ることもできるのだそうだが。

六時五一分、広場を出発。今日は数時間歩けば目的のヤンドンゲ村に着くという。あと少し、と気持ちを奮い立たせて歩くが、足の痛みにときおり臆面もなくうめき声を上げるようになった。鎮痛剤ロキソニンを飲む。一〇時四五分ごろ、村の近くにある畑が見えてくる。しかし、なかなか村までたどり着かず、もどかしい。一一時一五分、ついにヤンドンゲ集落着。約一〇キロメートル歩いた。広く

---

（3）Boulevard du 30 Juin. キンシャサの中心を貫く六車線の大通り。六月三〇日は一九六〇年のコンゴの独立記念日である。

て美しい村だ。運転手のアデラールの迎えを受ける。彼は私のために、エウル（リクガメ）の料理を用意してくれていた。

今回の森林行は、ヤリサンガ集落を出てからヤンドンゲ村まで、約九〇キロメートルを四日で歩くという行程だった。日本の整備された山道を歩くならそれほどの距離でもないが、足下が悪く、倒木を乗り越えたり川を渡ったりを繰り返し、しかも普段よりも早足で歩き続ける人々についていかねばならないので、私の体力ではこれが限界だった。彼らはさらに一週間歩き続けてヤフィラの市に着き、その後、同じ道を取って返すのである。

その後、私はバイクに乗り、ロボロ、イサンギというふたつの町に泊まり、八月二四日にキサンガニに到着した。キサンガニに近づくに連れて、だんだんとビールは冷たくなっていき、ガソリンの値段は下がっていく。私の左足は甲の部分が腫れ上がって太くなり、また帰国後、左膝の裏に水が溜る状態になった。今ではほぼ回復しているが、アフリカの森をこれほど歩くことも、もうないだろう。とりあえずほんの一部だが、人々の苦しみを身をもって体験したのである。もちろん、こういった状況がこのまま放置されていいわけはない。本書に描かれている水上輸送プロジェクトが、この徒歩交易の苦しみを消し去る一助になることを願いたい。

# 第11章 長い旅の果てに

松浦直毅

## バンダカ、万感の思い

九月一六日、夜中のうちに再出発し、空が白みはじめた五時半すぎに目が覚めたときには、すでにバンダカが目前に迫っているところだった（写真11－1）。長い旅もいよいよフィナーレである。準備期間から考えると、そしてさらに、このプロジェクトを構想してからのことを考えると、ついにここまできたのかと万感の思いである。準備期間から道中のここまで、私はできるかぎり明るく楽しくふるまい、いつも心の余裕を見せられるようにと努めてきた。しかし実際には、このプロジェクトの主宰者として、メンバー全員の命を預かっているという重大な責任と、決して失敗は許されないという大きなプレッシャーを感じ、胸が締めつけられるような思いをつねに抱えてきた。このプロジェクトは、大げさではなく私にとって研究者生命を賭けた一大事業であった。ここまでやってこられたのは、ヤマグチ君とタカムラという心強いパートナーと、村から選りすぐった信頼

写真11－1　バンダカの町

のおける選抜メンバー、豊富な経験とたしかな技術を持ったバ組の面々というすばらしい「クルー」に恵まれたからにほかならない。小さなトラブルや事故はあったが、誰ひとりケガや病気をすることはなく、数えきれないほどの船旅を経験してきた水先人パパ・オティスにして「祝福された旅だった」と言わしめるほどに、幸運にも守られた旅であったと感じる。

しかしながら、ここはそうして感傷にひたってばかりいられる国と場所ではない。早朝六時すぎに港に着くと、即座に商人たちがやって来て私たちが運んで来た商品の値踏みを始める。「港に着くと」と書いたが、なかには、われわれが港に着く前に向こうからモーター付きの丸木舟でやってきて横づけし、そのまま交渉を始める商人もいた。生活を賭けて闘っている商人は、遠慮も気づかいもいっさいなく、ドヤドヤと船の中になだれ込んできて、魚や家畜を買い取る交渉を始めている。田舎から出てきたばかりのか弱い村人が百戦錬磨の商人たちと対等に渡り合うのは困難で、同じく村から出てきたか弱いヤギやブタたちは、瞬く間に安い値段で買い叩かれていった。

商人の攻勢という最後の「嵐」が通り過ぎ、ようやく船から降りてバンダカの土地を踏みしめる。例によってデージェーエムなどの手続きをおこなわなければならなかったが、州都だけあってか、ここの役人はかなりまともで、時間こそかかったが、お金を要求されることもなく穏便に済んだ。調査チームのカウンターパートである森林生態研究所の研究者で、バンダカに住んでいるノルベール・バンギ博士が迎えに来てくれて、泊まる場所の手配をしてくれた。われわれ三人以外は船の中や港の倉庫（写真11－2）に寝泊まりするようだ。これまで寝食をともにしてきたのに抜け駆けすることへのうしろめたさはあったが、さすがに七日間の船旅のあとに七日間の倉庫暮らしでは体がもたないということで、バンギさんに紹介してもらったホテルに投宿することにした。ただ、あとでも述べるように予算状況はギリギリで、しかも、これまでの商活動と船旅ですっかり節約グセが染みついた私たちには、一泊三〇ドルの部屋に泊まるのははばかられた。結局、一日ずつ交代しながら、ひとりがシングルの部屋、あとのふたりは一泊四〇ドルの部屋（ベッドはひとつしかない！）をシェアすることで、一日二〇ドルを節約するようにした。旅を通じて絆を深めたとはいえ、どこまで仲良く密着するのかという気もするが、この二〇ドルが貴重なのである。

写真11－2　バンダカの港の倉庫

これでようやく一息つく。パンとオムレツという久しぶりの町の食事が感動的なおいしさで、よく冷えたコーラが身体の奥深くまで染み渡る（写真11－3）。携帯電話が使え、インターネットにも接続できるここは、ついさっきまで船の上で生活してきたわれわれにとって夢のような場所である。ただしかし、われわれの旅はまだ終わりではない。ここから一週間ほどで商品の売却と支援物品などの買い出しをおこない、そして復路の準備をしなければならないのである。

## またまた燃料問題

この旅では、つくづく燃料の問題に頭を悩まされてきた。バンダカに着く前から話題にあがっていたのだが、当初の計画よりも燃料の消費がかさんでおり、組長は、復路用にバンダカで三〇〇〇リットル（＝約三八〇〇ドル分）のガソリンを買う必要があるという。帰りはわれわれ三人が同行できないことから、ここでたくさんせびっておこうという商売人としての意図もあったかもしれないが、とにかく完全に予算オーバーで、有り金を全部出しても賄いきれない金額であった。しかもこの時点では、持ってきた商品がきちんと売れるのか、そして、売れたとしてどのくらいのお金が戻ってくるのかまだわからない。余計に盛られた分まで出すつもりはないが、かといって本当に必要な量に足りなかったために、途中で燃料が尽きて船が

写真11－3　バンダカに着いてほっと一息

立ち往生する、などということになったら一大事である。正確にどのくらい必要なのか算出できないのが難しいところで、すでに何度もピンチはあったが、旅の最後にして最大のピンチである。

仕方なく三人で部屋に集まり、有り金をすべてひっくり返して数え、いくらまでなら出せるのかを相談した（写真11－4）。ちなみに、コンゴの通貨はコンゴフラン（FC）で、一円＝約一五フランであるが、日常の買いものでよく使われ、私たちもたくさん持っているのは、五〇〇フラン札（約三五円）や一〇〇〇フラン札（約七〇円）である。それが一〇万円分とか二〇万円分となると、それはもう「札束」というより「札塊」といった感じで、それを一枚一枚数えるのは相当に大変な作業である。そのうえ、コンゴの庶民のお金の扱い方は、私たちには考えられないくらい雑なので、人々の手から手へと渡る過程で、ありとあらゆる汚れを吸収したコンゴフラン札は、たいてい汚く、そして臭い。

写真11－4　お金を数える

そうしていろいろな意味で頭をクラクラさせながら予算状況を確認し、何度か船旅をした経験があるバンギさんにもそのときにかかった費用や消費したガソリンの情報を教えてもらう。自分たちの懐事情とバンギさんの情報をふまえ、組長や船長と話し合いを重ねた結果、二四〇〇リットルならわれわれも何とか工面できて、船もワンバ地域までたどり着けるということになった。それでも計画を大幅に上まわる金額だが、いたしかたない。

　次なる問題は、ガソリンの調達と輸送である。大きな町ではあるが、バンダカにはガソリンスタンドは一か所しかなく、そこに町じゅうのバイクや車が殺到する。とくにここ数年、急速にバイクが増加していることもあって、慢性的にガソリンの供給が不足しているようで、タンクローリーがガソリンスタンドにやってくる前になると、スタンドには何十台ものバイクが列をなし、さらにポリタンクを持った人たちも大勢群がって来る。そんな具合に、ただでさえガソリンを得るのが困難なのだが、私たちが必要としているのは、普通の客が給油するような何リットル〜何十リットルという単位ではなく、ドラム缶一二本分である。パッと行ってその場で欲しいだけの量が手に入るようなものではなく、何回もガソリンスタンドに通い、コンゴでの切り札「マタビシ」も出して、ようやく入手の目途が立った。

　それを運ぶのも大変だということは、もはや言うまでもないだろう。ガソリンはすべて二五リットルのポリタンクに入れて、リアカーで街なかから港まで運んだが、相当な手間と輸送代がかかり、さらに港でも荷物の運び込み料が徴収される。こうして、たくさんの時間と労力とお金を費やして、ようやく燃料問題はすべて解決したわけである。

## 商品の売却を通じて得たもの

プロジェクトの大きな課題であり、私たちが最も強く懸念していたのは、村から運んできた商品をすべて売りさばけるかということであった。持ってきた商品の量が量だけに、売れ残ってしまったら巨大な損失になり、立て替えて払ったわれわれがそれをかぶることになるのである。しかし、その心配は杞憂に終わった。私たちに交渉の出番がまわってくることはなく、アルフォンス、ジャンを中心に、港の倉庫に泊まっている選抜メンバー全員の奮闘によって、約一週間で見事にすべての商品がなくなった。毎夕方に選抜メンバーが売り上げの報告に来てくれたが、順調に商品が片づいていくのを見て、日に日に安堵感も高まっていった。べつに儲かっているわけではなく、たんに立て替えたお金が返ってきているにすぎないのだが、毎日多額のお金を回収していると、まるで豪商の親分になったような気分になる。

もちろん、商売は決して甘いものではなく、村で設定した価格以上の値で売れたものは限られており、結局回収できたのは村で払った額の八割ほどにとどまった。これには、村の人々が商売に不慣れであったことにくわえて、プロジェクトの時間的な制約もあった。バンダカに来て驚いたのは、商品価格が短期間に急激に変動することである。たとえば、商品を満載した船が到着すると一気に需給のバランスが変わって、価格は大幅に下落する。だから、商品が不足して需要が高まるまで待ち、良いタイミングを見きわめて売らなければ、十分な儲けが出せないことになる。商人は各地からやって来ており、なかにはコンゴ共和国側からコンゴ河を渡ってくる者もいる。したがって、いろいろな商人と交渉をして、より良い買い手がつくまで粘る必要もある。また、商品をすみやかにさばくために大きな袋の単位で売ったが、「バラ売り」をすれば、時間と手間が余計にかかるかわりに利潤も大きくなる。つまり、じっくり時間をかけて、根気よく売ることが成功の秘訣というわけだ。しかし今回は、私たちのスケジュールの制約から、バンダカでの商売に十分な時間をかけることができなかった。回収しきれなかった分は私たちの自腹負担となり、かなりフトコロが痛んだが、そのお金は支援として住民組織に渡ったのだから、それで良しとするしかない。

繰り返し述べてきたように、プロジェクトの第一の目的は、お金を儲けることではなく、プロジェクトを通じて村の人々が知識と経験を深め、社会関係を強化することであった。その点で選抜メンバーは、実際に商品を売る経験を通じて多くのものを得たようだった。どの商品の利益が大きいのか、それをどうやって売ったら良いのかを学んだり、信頼のおけそうな商人と知り合って連絡先を交換したりするなど、ここで得られた「財産」がこれから先につながることが期待できる。私たちと彼らの関係も強まった実感がある。数千ドル分の商品を託しても、ひとつとしてごまかすことなく、一部をフトコロに入れることもせず、きちんと売り切ってくれたこと自体が、コツコツと築いてきた信頼関係の何よりの証左といえるだろう。

もうひとつの目的は、村への支援として学校の建材、学用品、薬などを購入し、村に運ぶことであった。商品の売却を進めるのと並行して、フィデル、ブランシャール、アルフォンスに同行してもらい、支援物品を買いそろえた。買う量が多かったので、探すのにも運ぶのにもかなり苦労したが、村の期待を背負っているので責任重大である。バンダカの市場じゅうの店を訪ねまわって品揃えと値段を確認し、できるだけ良いものを良い値段で買えるようにと汗をかいた。とくに薬の購入では、それまであまり目立たなかったブランシャールが活躍してくれた。ふだんから薬売りをしているだけあって、薬のことにくわしく、おおいに助けられた。ブランシャールは、ついでに自分のための薬の仕入れもしていたのだが、この旅のあいだほとんど話しているのを聞いたことがないというくらい寡黙だった彼が、薬屋では人が変わったように饒舌に交渉していた。

じつを言うと、当初は、バンダカでの滞在期間は一週間あるので、やることをさっさと済ませてのんびり過ごそうなどともくろんでいた。しかし実際にはそんな余裕はまったくなく、ときには延々と話し合い、ときには町じゅうを歩きまわって、ほとんど休みなしの毎日だった。のんびりしているあいだに読もうと思って持ってきた本は、枕のかわりと重しの役割しか果たさなかったが、現場での実践を通じることでしか体験したり考えたりできないことが盛りだくさんの濃密で充実した日々であった。

## 新たな船出

さて、長く続いてきた商売の旅も無事に終了、となるのはバンダカから飛行機で帰る私たちだけで、ほかのメンバーは、これから倍以上の時間をかけて帰らなくてはならない。ひとりひとりに服やザックなどのささやかな贈り物をして、感謝とお別れの言葉を伝えた（写真11－5）。残念ながら、船が出発するところを見送ることはできなかったが、私たちがバンダカからキンシャサに向けて飛び立ったのとちょうど同じころに、船はワンバ地域に向けて出発した。では、その船はいったいどうなったのか。ワンバ基地で到着を出迎えた徳山さんに紹介してもらおう。

写真11－5　お別れの集合写真

＊＊＊

松浦さん、山口さん、高村さんが意気揚々とバンダカへと出発してから一週間後、一行が無事バンダカに着いたとの連絡があり、ほっとするとともに、みんな今ごろ楽しくビールでも飲んでいるのだろうなあと羨ましく思っていた。

「今日、バンダカを発ってキンシャサへ向かいます。船も今日出発、あと一〇～一二日でワンバ村に着くと思います」という松浦さんの連絡から一四日後の一〇月七日、ようやく船はリンゴンジに到着した。帰りの旅も順調だったようだが、激しい雨で船足が遅くなった日があったために、予定より到着が遅れたという。船には、学校支援のトタン板や病院支援の薬品類など、村のための物品がいっぱいに積まれているはずだ。噂はあっという間に村じゅうに広がり、みんな気分が浮き立っているようだった。

次の日、ある程度は予想していたことだが、面倒なことが起こった。コンゴの人々は基本的に抜け目がない。松浦さんからは必要なお金はすべて支払い済みと聞いていたが、村のメンバーたちが私のところに「最後の交渉」にやってきたのだ。彼らは、「リンゴンジに着いたところで燃料が尽きてしまった。ワンバ村近くの船着き場までの燃料代が欲しい。そのせいで船員たちを余分に引き留めているので、食費も払って欲しい」という。出してきた請求書を厳しくチェックしながら、仕方なくある程度の燃料費と食費を支払った。しかし、それで調子に乗ったのだろう、彼らは、「船着き場から村に物品を運搬するから、その雇用費も払って欲しい」と言ってきた。しかも、一時間半で往復できる距離の荷運びに、日当以上の金額を要求してきたのだ！　すでにプロジェクトで大きな支援を受けているし、村への支援物品なのだから、人件費は支払わない約束だった。さすがに腹が立ち、「ナコソロラ・ナ・ビヌ・リスス・テ！　ケンデ！（もう話にならない！　出ていって！）」と言い放って追い出す。船旅と町での商売を通じて多くの知識と経験を得たのだろうが、必要以上に商魂がたくましくなっているような気もしなくもない。

外からは、侃々諤々《かんかんがくがく》言い争う声が聞こえる。しばらくして戸口がノックされ、しょんぼりしたメンバーたちが入室の許可を求めてきた。「調子に乗りすぎた、ごめんなさい。お願いだからもう一度話を聞いてくれないか」とのこと。ここら辺も想定内なので、「わかった、もう一度話し合おう」とこちらも歩み寄る。彼らはいかに旅が大変だったかを切々と訴えたあと、「もう疲れちゃったんだ……」と小声でつぶやく。こうなるとこちらにも同情心が湧いてきて、結局一部を助けてあげることになった。医療品はイヨンジ村の病院へ、中学校支援のトタン板はワンバ基地に、それぞれ届けられることになった。

午後になると、村の女の子たちがトタン板を持って続々と到着し始めた。根性の問題なのか何なのか、男たちは重いものが持てないらしく、この村では、重い荷物は女が運ぶのが普通だ。五〇歳を過ぎた女性が、水の入った二五リットル容器ふたつとキャッサバを詰め込んだ籠を背負ってひとりで黙々と歩く横で、同じ容器ふたつを括り付けた自転車を男がふたりがかりで息を切らしながら押している、などという風景もよく見られる。トタン板を持った女の子が到着するたびに、集まったやじ馬から歓声が上がる。道中で濡れた板を乾かすために一枚ずつ広げて壁に立てかけながら、枚数を数える。「……二〇三、二〇四、二〇五!! 全部あったぞ!!」。医療品やその他の荷物もすべて過不足なく届いたとのことで、これにて任務完了! である。

＊＊＊

私が徳山さんから船到着の知らせを受けたのはすでに帰国したあとで、日常の仕事に忙殺されるなかで、あれほど濃密で刺激的だった旅の記憶も少しずつ色あせ始めていたところだった。久しぶりのワンバ村からの便りに、みんなの顔がありありと思い出され、無事の到着に心から安堵するとともに、きっとまたひと騒ぎしているだろうなと、喧噪の様子がまぶたに浮かんだ。困難なことも予定外のこともたくさんあったが、これで本当に水上輸送プロジェクトをやり遂げたといえるわけで、大きな感慨と達成感があった。

しかし、「これにて任務完了」とばかりは言っていられない。私たちの研究、そして、それを通じた村の人とのかかわりは、これからもずっと続いていく。今回培った経験を生かして、これから村でどのような活動をおこなっていくか。その際には、旅を通じてつながりを深めた人たちとどのように協力していくか。そして、その先にどのような村の将来像を描くのか。末永く村とかかわり続ける心づもりでそうしたことを考えれば、むしろこれがはじまりであると言えるかもしれない。私たちのプロジェクトは、ようやく船出したばかりなのである。

# 第12章 それぞれの一年後

山口亮太

## ふたたび、ワンバへ

二〇一八年八月、僕は一年ぶりにワンバの地を踏んだ。今回は、初めてキサンガニからバイクで移動する「森の道」を採った。これで、僕も晴れて「空の道」、「河の道」、そして「森の道」のすべてを制覇したことになる。「森の道」についての詳述はもはや不要だろうが、キサンガニで購入した新品のバイクでも、荷台が折れてしまうような悪路であった（写真12－1）。ちなみに、折れた荷台は近くの町ですぐさま修理し、他の部分も補強したので、折れる前よりも頑丈になった。

写真12－1　倒木への対処。森の道に倒木はつきものである。写真のように、倒木が比較的高いところに引っかかっている場合は、バイクを傾けて下を通る。高さによっては荷物をほどくこともある

どんなトラブルでもなんとかなるものである。僕は、とある（下半身の）理由から長距離のバイク移動に不安を抱えていたのだが、秘密兵器として持って行った分厚いパッドが入ったロードバイク用のレーサーパンツのおかげで、拷問のような臀部の痛みなどの心配から解放された。バイク旅が苦行であることは変わりないが、身体的な苦痛は少なければ少ないほど良い。もし読者の中に、スーツケースと運転手に挟まれて身動きできない状態で悪路を四日ほどバイクで旅行する予定のある方がいれば、オススメである。

写真12－2　道はひどいが、木村さんがいれば百人力である

今回は、大ベテランの木村さんと経験豊かな運転手であるアデラールが一緒だったため、初めてのルートという心理的な不安もあまりなかった（写真12－2）。道中で役人に絡まれて嫌な思いをした以外には大したトラブルもなく、順調な旅だった。ただ、さすがに体力的にも疲れたし、普段使わないような変な筋肉を使うのか、身体じゅうが筋肉痛であった。

ワンバ基地には大学院生がふたり滞在しており、温かく出迎えてくれた。木村さんは、到着早々、イヨンジ村の様子を見に行き、ワンバ基地に戻るやいなやジョルまで仕事に出かけ、ワンバ村到着から三日後には、交易の調査のために約一週間の予定で南方へと旅立っていった（写真12－3）。もちろんすべてバイク移動である。どれだけバイク旅が好きなんだ。木村さんのタフさにはかなわない。

## この一年の様子

前章にあるとおり、いろいろと不測のトラブルはあったようだが、われわれの船は無事にワンバ村に到着した。では、そのあとの一年間、ワンバ村とイヨンジ村の住民組織は、どのような活動をしていたのだろうか。プロジェクトの「その後」を確認するのが、今回の僕の仕事であった。住民組織をひとつひとつ歩いて訪ね、この一年の活動を報告してもらうとともに、いまおこなっている活動の現場を見学させてもらった。

その結果、船旅をともにした選抜メンバーを中心に、住民組織の活動が活性化していることがわかった。ワンバ村では、フェリーが代表を務める組織ADEWAが、水上輸送プロジェクトで得た利益を元手に、商売に力を入れ始めていた。村でロトコを買い集め、それを商人の船に載せてバンダカまで販売しに行き、バンダカで購入したガソリンを村で販売する。最近になってイヨンジ村にできた自然保護区に駐在する政府関係者や、村人のあいだでも増えてきたバイク所有者を対象とし

写真12－3　自分の運転でイヨンジへ向かう木村さん

たガソリンの販売は、良い儲けになるとのことであった。ガソリンを売って得た利益は、ふたたび村でロトコを買い集める資金となる。フェリーは、僕がワンバ村に到着した数日前にバンダカから戻ったところだったようで、それが今年に入って二度目の船旅だということだった。

船旅で燃料の管理を任されていたデュドネが代表を務める組織ＡＮＧＹは、薬の販売に力を入れており、ついに小さな薬局を開店していた（写真12－4）。バンダカではなくキサンガニまで自転車で薬を購入しに行っているとのことであった。じつは、僕は今回、キサンガニからバイクで移動している道中で彼とすれちがっていた。大きな荷物を自転車の荷台にくくりつけた彼は、キサンガニでの薬の買い付けから戻る途中だったのだ。薬を販売して得た利益で次の薬を購入する。すでに何度かキサンガニまで薬を買いに行ったとのことであった。

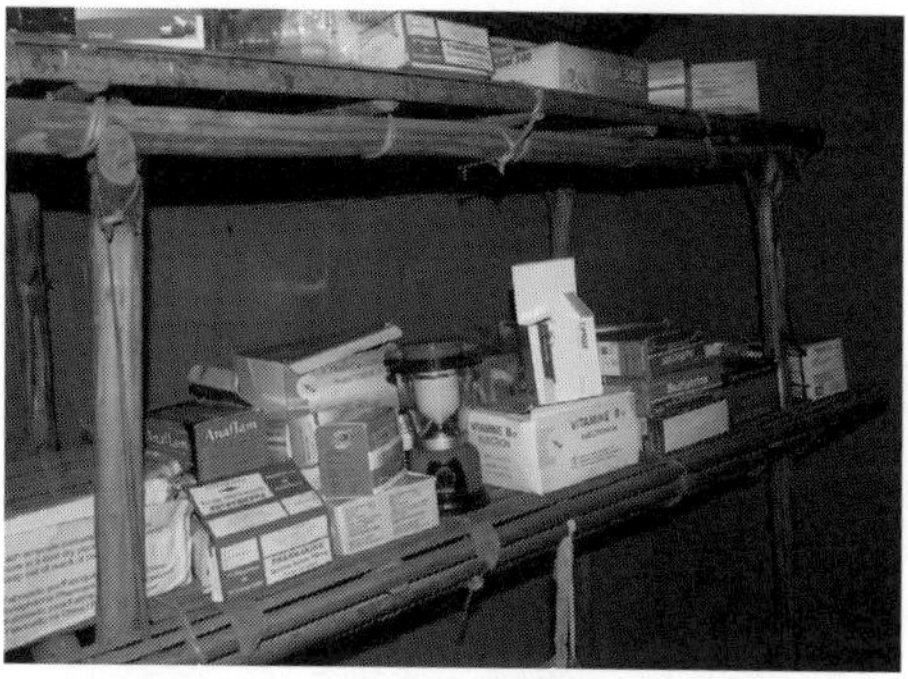

写真12－4　デュドネの組織 ANGY の薬局

まとめ役として大活躍したアルフォンスが所属する教会関係者の住民組織ＧＣＷＣＮは、プロジェクトで得た利益と信者からの寄付を合わせて教会の改築をおこなっていた。もうひとりのメンバーであるジャンが所属する組織ＤＷＲでは、例年通り共用の畑が開かれており、トウモロコシとキャッサバを植えて、十分に収穫できたら蒸留酒を造る予定だとのことであった。

イヨンジ村のメンバーたちも、それぞれに活動を継続していた。料理係だったフィデルや老師ことパパ・カミーユは、それぞれ

写真12－5　パパ・カミーユの陸稲畑。彼の組織では、むかしから陸稲を植えている

細々とではあるものの、共用の畑を開いて活動を継続していた（写真12－5）。いつもリュックを背負っていたブランシャールは、以前からおこなっていた薬の販売の規模を拡大して村で常設の薬局を開いていたほか、村から数キロメートル離れたところにある戦前のゴム・プランテーションの従業員宿舎の跡地を整備し、トウモロコシを植えていた。蒸留酒を大量に生産するつもりだという。すでに、大きな土壁の家を建設中だったが、整備が進めば、将来は村からこちらに移り住む予定だそうだ。意外に思われるかもしれないが、何かとストレスをうけがちな村の喧噪を離れて静かなところで暮らしたいと考えている人も少なくないのだ。

パパ・ガリは、みずからの組織を県庁で登録し、公認を受けていた。これまでは親族や隣人を中心とした組織だったが、これからはイヨンジ村全域からメンバーを募るつもりだという。イヨンジ村全体をカバーする大きな住民組織としては、すでにＡＤＩがあり、われわれも創立時から協力してきた。しかし、ここ二～三年は、組織として統一した活動はおこなわれておらず、四つある支部が個々に活動しているだけになっていた。そのため、パパ・

ガリは、「ADIは死んだ」として、自分が住民組織の活動の旗振りをしようと思い立ったそうである。ただし、実質的な活動はこれからであり、どこまで実行力を持ちうるのかは未知数である。イヨンジ村では、保全活動を進める国際NGOの影響で住民組織設立ブームが起こり、小規模組織の乱立を経て、それらがADIという大きな団体へと収斂し、それぞれの組織が緩やかに協調しながら活動をおこなってきたという経緯がある（Matsuura 2015）。イヨンジ村の住民組織の動向は、今後も注意深く見守る必要がある。

## 住民組織が引き起こす問題

以上のように、プロジェクトを経たことで、ワンバ村とイヨンジ村の住民組織がさまざまな面で活発化していることはまちがいなかった。商業活動によって利益を上げる組織が出始めているのは大きな変化であった。これは、従来は国際NGOや日本人に頼りがちであった資金源を、住民組織が独自に持ち始めたということであり、今後の活動の発展のための重要な一歩である。

しかし、同時に住民組織の活動が問題を引き起こした例も見られた。たとえば、ワンバ村で家畜飼育を主な活動としていた住民組織は、共用の畑をつくる際に、森の奥深くの一次林を切り開いてしまった（写真12－6）。ワンバ村周辺の森林は自然保護区になっており、一次林に畑を開くことは禁止されているにもかかわらず、この組織は数ヘクタールにも及ぶ広大な土地を伐開したのだ。一次林に畑が開かれているという情報は、すぐさま研究者と現地研究機関に報告されたが、彼らが止めに入ったときには、時すでに遅しという状態であった。この件は、州政府にまで報告が上がる大問題となった。住民組織の代表には、厳重注意と罰金が科されたが、切ってしまった森は戻らないため、畑として利用することは許されたという。

こうした問題は、住民組織の活動が活発になれば、遅かれ早かれ出てくるものであった。彼らが現金を得る手段である農作物や、それを原料とする蒸留酒は、すべて畑から得られるものであり、畑は森を切り開いてつくらなければならない。つまり、住民組織が活性化すればするほど、村周辺の森の伐採が進んでしまうというジレンマが存在するのである。そして、このジレンマは、多くの住民組織が取り組み始めた舟造りにも確実に潜んでいる。

写真12－6　一次林に開かれた畑

今回の調査で印象的だったのは、行く先々で丸木舟を造ることへの援助を求められたことであった。コンゴでの調査は五回目であったが、このようなことは以前にはなかった。これは水上輸送プロジェクトの影響にちがいない！　と早合点しそうになるが、それだけとは言い切れない。このところ、商人たちの活動も活発化してきており、バンダカとワンバ地域を往復する船が年に何度も出るようになってきている。この商人たちは、ある程度資金が貯まると、住民たちに丸木舟の製造を依頼する。バンダカのような町では滅多に見つけられないか、高額で手が出ないような大きな舟を、ワンバ地域では安価で購入できるためである。ほかにも、村で布教活動をおこなう教会団体が丸木舟の製作を村人に依頼するケースが散見される。つまり、この数年、ワンバ地域では外部の依頼で大型の舟を造る機会が多くなってきているのである。

写真12－7　ある住民組織が製作中の舟。木を伐採し、その場で加工する

そこに水上輸送プロジェクトがおこなわれたことで、住民たちは船の威力を目の当たりにした。そして、われわれが船のレンタルに多額のお金を費やさなければならなかったことを知った住民組織のメンバーたちは、自前の船を所有することを渇望し始めたのである。

自前の船を所有することは、彼らの抱える問題を一挙に解決する、唯一の希望となっていた（写真12－7）。イヨンジ村で調査していた際に、ある住民組織のメンバーから聞いた言葉が印象的である。

「もし、バンダカとのあいだで船が定期的に運航するようになれば、キサンガニをめざす人間はひとりもいなくなるだろう。誰も、大変な苦労をして、身体を壊しながら森の道を歩きたいわけがないんだ」。

## 森を守りながら、住民の生活を改善する道を模索する

住民組織のメンバーたちが水上輸送に大きな期待を寄せていることは理解できる。現在彼らがおこなっている長距離徒歩交易は、身体的にあまりに過酷であるし、背負うことができる量の商品しか輸送できないという点で、きわめて効率が悪い。水上輸送は、その両方を一挙に解決することが可能な手段である。

しかし、舟造りには、住民が拠って立つ基盤である森林に負荷を与えてしまうという側面がある。言うまでもなく、舟を造るためには木が必要であり、作業スペースを確保するためには、舟の材料となる木だけでなく、周辺の木々も切り倒さなければならない。この作業は森の中でおこなわれるが、舟の完成後には舟を最寄りの川まで引っ張っていく必要もあり、そのためには、森を切り開いて通路を造るよりほかない。そして、大きな舟を造ろうとすればするほど、より深い森の一次林に生えている巨木が必要となり、必然的に作業スペースと川までの通路の確保のために伐採される木々は多くなってしまう。

したがって、舟の必要性には賛同するものの、住民組織が個別に舟を製作するのでは森林に与える負の影響が大きすぎると考えられ、そうした事態を避ける必要があった。住民組織があげてくる舟製造に対する援助の要求に個別に応じていては、資金がいくらあっても足りないのも明らかであった。このため、僕は滞在期間中、ワンバ村とイヨンジ村のそれぞれで、住民組織のメンバーた

ちと何度も協議を重ね、それぞれの村で一艘ずつ、すべての住民組織が利用可能な共用の舟を造ることに決めた。こうすることで、森への負荷を最小限にしながら、住民の生活改善を支援することができるのではないかと考えたためである。それぞれの村で、住民組織から代表を選抜し、舟の「製作委員会」を立ち上げてもらい、製作場所と木の選定、製作指揮などをおこなってもらうこととした。この仕組みがうまくいけば、将来的には外部からの舟の製作依頼にも、彼らが中心になって対応できるのではないかと期待している。これは、畑の問題でも同様である。住民組織が協力し合いながら、どこに畑を開くかを協議するような仕組みができれば、われわれ研究者や現地協力機関、NGOなどと協力して住民の生活改善と森の保全を両立させていけるのではないだろうか。

ただし、こうした理想の実現のためには、われわれの側にも、継続的に彼らにかかわり続けるという覚悟が求められる。はたして、われわれにそれだけの気持ちがあるだろうか？　だが、覚悟はすでに十分ではないか。あれだけ苦労して、嫌な思いをしながらも毎年コンゴを訪れているのだから。この国でのフィールドワークは、惰性で続けられるほど甘くはない。僕たちもすでに、調査者と地域住民が研究と生活をかけて、ときに不協和音を奏でながらもともに歩き続けるワンバ地域の当事者なのだ。

# おわりに

松浦直毅

コンゴの森は豊かだ。悠久の歴史のなかであまたの生命を育んできた熱帯雨林は、はかり知れない経済的価値を秘めた自然資源の宝庫である。われわれ人類も、誕生以来、いや、それよりももっとずっと前、類人猿と分かれる以前の祖先の時代から現在にいたるまで、熱帯雨林がもたらす豊穣な恵みを享受して生きてきた。とりわけ森の奥深くに暮らす人々は、生活のあらゆる場面で森林資源を活用し、現在も森に強く依存して暮らしている。

しかし、地球のすみずみまで近代化の影響が行き渡った現代世界において、森に抱かれたまま外部とかかわることなく暮らし続けることは、ほとんど不可能であるだろう。深い森で暮らす人々のもとにも、グローバル化の波は否応なく押し寄せており、それによって長い年月をかけて築かれてきた人と森との共生関係はそこなわれ、政治経済的な課題がつぎつぎに噴出している。私たちがコンゴの森でのフィールドワークで出会ったのも、そうした時代のなかで困難な状況に直面する人々であった。何とかそれを乗り越えようと血のにじむような努力を重ねている彼らのことを知るにつけて、そして、長い時間をともにするなかで彼らとの関係が深まっていくにつれて、こうした困難な状況を彼らと一緒に乗り越えていきたいと思うようになり、そのために自分たちに何ができるのかを考えるようになった。そのような自問自答を続け、人々と対話を積み重ねてたどり着いたのが、本書の水上輸送プロジェクトであった。

## 水上輸送プロジェクトの成果

劣悪な交通事情を克服し、経済活動を後押しすることを目的にかかげて実施した水上輸送プロジェクトは、たくさんの苦労と困難を乗り越えて成功裡に終わった。第一に、村の人々にとってこのプロジェクトは、まとまった現金収入が得られる重要な機会となった。ビンジョとロトコを中心とする大量の商品を販売することによって、それぞれの住民組織が大きな現金収入を得た。住民組織のなかには、得られた収入で活動に必要な農具や工業製品を買い、それを活用して事業を拡大させるところもあった。めざましい事業拡大とまではいかないまでも、販売の方法と機会があることを知ったことで生産意欲が高まり、活動が活発になった組織は多い。

プロジェクトの成果は、そうした経済的利益だけにとどまらない。ふたつめに、村の人々が商売に関する知識と経験を深めるとともに、住民組織のメンバー間、そして異なる住民組織のあいだの関係を強化する重要な機会となった。それまでまったく交流がなかったワンバ村とイヨンジ村のそれぞれの住民組織が、同じ船で旅をするなかで協力関係を築いた。くわえて、外部の実業家グループと連携したことで、とくに船旅に参加したメンバーのネットワークが大きく広がった。そしてなにより、船旅に参加したメンバーをはじめとするたくさんの人々と私たちとのあいだで、固く強い関係が結ばれた。「森と河をつなぐ」とは、河の道を開いて森の中の村とつなぐこと、つまり輸送経路を結ぶことだけを意味しているわけではない。それは、私たちをふくむ外部者と村の人々が力をつなぎ、お互いの想いを結び合わせることで、困難な生活状況の克服に挑戦するという意味でもあったのである。

## プロジェクトの負の影響

経済活動の活性化や住民組織のエンパワーメント、新たなネットワークの構築という点では大きな成果が得られた水上輸送プロジェクトであるが、その後の村の変化を見ると、プロジェクトがもたらした負の影響というべきものもあった。経済開発を推し進めることは、自然資源の過剰な利用とそれによる森林減少の危険ととなり合わせであるが、ワンバ地域でも、プロジェクトの経験を通じて意欲を高めた村の人々は、ロトコ生産を増やすために畑の面積を拡大させ、保護区のルールで禁止されている一次林にも手をつけ始めてしまっていた。また、住民組織のそれぞれがこぞって丸木舟づくりに乗り出しており、数少ない巨木がつぎつぎに伐採される危惧があった。ワンバ地域の森とそこに暮らすボノボの生存がおびやかされることは、そこで続けられている研究活動や保全活動の危機であるとともに、それらの活動と強く結びついて成り立っている地域社会の基盤をゆるがすことでもある。過剰な森林開発は、長い目で見れば村人にとって「自分で自分の首をしめる」ことにほかならない。たんに経済活動を促進するだけではなく、自然資源を持続的に利用するための方策を探り、開発と保全の両立を図ることが求められるのである。

そこで私たちは、プロジェクトがもたらした負の影響を抑え、森林環境を保全し持続的に利用するために、住民組織のメンバーらを集めて対話と協議を重ね、保護区のルールを確認するとともに、持続的に利用するための指針を議論した。舟づくりに関しては、住民組織のメンバーからなる舟の管理委員会を立ち上げて、村で共有する舟の管理を任せることにした。また、畑の分布や森での活動について調査することで、自然資源の利用実態と管理状況を継続的に把握するよう努めることにした。開発事業を実施するにあたっては、事業がもたらす環境面での負の影響を抑制し、森林環境を保全しながら自然資源を持続的に利用するような仕組みを構築する必要があり、そのためには、継続的な関与が求められるのである。

## 開発と保全の両立に向けて

とはいえ、開発と保全を両立させることは決して容易ではない。資源を消費することによって進められる「開発」と、資源利用を抑制または禁止することによる「保全」は、そもそも相対立するものである。一九八〇年代以降、保全に対して住民の理解と協力を得るためには、同時に地域開発を推進することが必要であるという指摘が数多くなされ（Hulme & Murphree 2001; Berkes 2007）、「保全と開発の統合プロジェクト」（Wells et al. 1992）が各地でおこなわれてきたが、その取り組みの多くが失敗に終わっている（Hughes & Flintan 2001; McShane & Wells 2004）。もちろん、アフリカ熱帯雨林においても、開発と保全が両立した有効な体制が整っている地域はほとんどない。とりわけ政情不安と経済的困窮を抱え、「人間開発指数」が世界最下位付近を低迷するコンゴにおいては、きわめて困難な課題であるといえる。

しかし、長期野外研究の拠点となっているワンバ地域には、この課題を克服していける可能性がある。研究者と地域住民が二人三脚となって課題に取り組めるからだ。地域住民の自助努力だけでは脱することが困難な状況でも、私たち研究者が深くかかわり、一緒になって地域開発を考え、協働して活動を実践することで、少しずつ状況を変えていくことができるのではないか。外部からの押しつけの開発や保全の政策がうまくいかないとすれば、地域住民と長期にわたって親密につきあい、地域社会と切っても切れない関係にあるフィールドワーカーが媒介者としての役割を担うことで、地域に根ざした開発と保全のあり方を構想すべきなのではないだろうか。水上輸送プロジェクトの目的は、森林資源の経済的価値を知るとともに、こうした開発事業が地域社会にどのような影響を与えるのかを明らかにすることで、持続的な開発のあり方を探り、有効な保全へと結びつけることでもあった。「森と河をつなぐ」こととは、保全の舞台である「森」と、商業活動や経済開発を象徴する「河」とをつなぎ合わせること、すなわち、開発と保全の両立をめざすという意味でもあったのである。

## 今後めざすもの

本書では、私たちが実践したプロジェクトの過程をくわしく示すことを通じて、地域住民と研究者の協働による開発事業の意義と可能性について考えてきた。水上輸送プロジェクトに参加した私たち三人のあいだ、さらには本書の執筆者のあいだには、どのような開発事業のあり方が望ましいのか、開発事業の先に何をめざすべきかについて、考えのちがいがある。しかし、開発事業を進めるにあたって最も重要なことに関しては、私たち全員に共通する認識がある。それは、地域住民と長く深くつきあい、地域社会の歴史や文化的背景をよく理解したうえで、住民としっかりと手をたずさえておこなわなければならない、ということである。そうなれば、支援する側も、自分は外部者であるといって逃げるわけにはいかない。やるからには当事者として深く関与し続ける覚悟が求められるだろう。長きにわたって同じ地域で調査を続けているフィールドワーカーの強みは、そこにある。とりわけ地域に深く根ざし、地域文化の特徴をよく理解した人類学者が果たす役割はきわめて大きいのではないだろうか。

開発事業といえば、期間限定で目的志向的なものであるのがふつうだろう。一方で、研究者のなかには、研究と実践は別ものであり、研究者にとって実践活動はあくまで付随的なものであるという考えは根強くある。しかし、そうした発想を大きく転換し、調査に通い続ける研究者がつねにかかわり、試行錯誤と軌道修正を重ねながらずっと続いていく事業、というものが実現できないだろうか。開発事業を対象とした人類学的研究は数多くあるが、そこからもう一歩進んで、開発事業をおこなうことそのものを研究の一環とする、あるいは研究活動をすることがそのまま支援につながるような枠組みを構築することはできないだろうか。そうした破天荒といえるかもしれない構想を持ちながら、これからも私はずっとワンバ地域でフィールドワークを続けるつもりである。

そのための道のりは長い。木村さんは、「これだけ大変な状況の中で自分ができることは〈大河の一滴〉にしか過ぎないという無力感がある」（コラム1）と述べているが、私もこのような感覚には深く共感できる。あまりにも壮大な森と河の世界を前に立ちすくむこともあれば、絶望的ともいえる困難な生活状況を見て途方に暮れることもある。私たちにできることは、本当にささやかな「一滴の水」のようなものでしかないだろう。しかし、次のようにも考えられないだろうか。森の中で湧く「一滴の水」は、その一滴一滴が集まって、やがて小さな流れになる。そのまま干上がってしまうこともあれば、どこかに逸れていってしまうこともあるかもしれないが、べつの小さな流れと合わさって大きな流れになることもあるだろう。そうして小さな流れは、少しずつ少しずつ太く確実な流れとなり、いろいろな流れが集まって小さな川となる。小さな川は、ほかのたくさんの小さな川と一緒になって、やがて大きな川になるだろう。私たちの取り組みは、森の奥深くで湧くわずかな「一滴」なのかもしれない。しかし、絶えることなく湧き続けることでひとすじの流れを生み出すことができれば、その流れはいつか先で、多くの人々の生活を助け、多くの命を育む「大河」になるのではないだろうか。

まだまだ小さな流れではあるが、本書はそうして「森」から生まれ、さまざまな人たちが合流してできたひとつの「川」である。古市剛史さん、橋本千絵さんをはじめとするワンバ調査チームの皆様には、現地での生活から研究活動にいたるまで、あらゆる面でたいへんお世話になった。在コンゴ民主共和国日本国大使館およびＪＩＣＡコンゴ民主共和国事務所の皆様には、さまざまな形でサポートをいただいた。現地のカウンターパートであるコンゴ森林生態研究所（ＣＲＥＦ）の Ikali Monkengo-mo-Mpenge 所長、Norbert Mbangi Mulavwa 研究部門長、Jacques Batuafe Baaka 研究員には、調査地の運営および研究の遂行に関して多大な支援をいただき、さまざまな便宜を図っていただいた。本書にかかわる研究は、コンゴ科学技術省の許可を得ておこなわれ、調査実施にあたっては以下の助成を受けている（JSPS科研費JP17H04767、JP16H02716、JP16H06875、JP17J06911、JP18K12597、JP19J40305、JP15J01455、文部科学省博士課程教育リーディングプログラム「京都大学霊長類学・ワイルドライフサイエンス・リーディング大学院」、平成29年度笹川科学研究助成〔29-112〕、京都大学ASAFASエクスプローラープログラム）。関係者の皆様に心より感謝申し上げる。

本書の水上輸送プロジェクトは、NPO法人「アフリック・アフリカ」の支援事業の一環としておこなわれ、NPO法人「ビーリア（ボノボ）保護支援会」からもサポートを受けた。また本書は、「アフリック・アフリカ」の企画として一年間にわたってホームページ上に連載された松浦、山口、高村による紀行エッセイをもとに構成された。本書の出版にあたっては、明石書店の兼子千亜紀さんに多大なご尽力をいただいた。記して感謝申し上げたい。なお本書の写真は、すべて本書の筆者らが撮影・提供したものである。そして最後に、私たちの調査を受け入れ、苦楽をともにしてきてくれたコンゴの友人たちに心からお礼を述べたい。ますます大きな流れをつくり出し、いつか「大河」となれるように、これからも彼らと力を合わせてたゆまずに取り組んでいきたいと思う。

つ社.
加納隆至 1996.『森を語る男』(伊谷純一郎・大塚柳太郎編「熱帯林の世界」3巻) 東京大学出版会.
加納隆至・加納典子 1987.『エーリアの火――アフリカの密林の不思議な民話』どうぶつ社.
木村大治 2003.『共在感覚――アフリカの二つの社会における言語的相互行為から』京都大学学術出版会.
黒田末寿 1993.「ザイール中央部の民族集団, ボンガンド社会における婚資の役割と流通」『アフリカ研究』43:63−75頁.
武田淳 1987.「熱帯森林部族ンガンドゥの食生態――コンゴ・ベーズンにおける焼畑農耕民の食生をめぐる諸活動と食物摂取傾向」和田正平編著『アフリカ――民族学的研究』1071−1137頁.
田中真知 2015.『たまたまザイール、またコンゴ』偕成社.
西田利貞 2001.「ビーリヤ研究――事始めの頃」『霊長類研究』17:283−289頁.
レヴィ=ストロース、クロード 2000.『親族の基本構造』(福井和美訳) 青弓社.

*Towards More Effective Conservation and Development.* Columbia University Press, New York.

Matsuura, N. 2015. The roles of local associations in rainforest conservation and local development in the Democratic Republic of the Congo. *African Study Monographs Supplementary Issue* 51: 57-73.

Ryu, H. 2017. *Mechanisms and Socio-Sexual Functions of Female Sexual Swelling, and Male Mating Strategies in Wild Bonobos.* PhD dissertation, Kyoto University.

Sakamaki T., P. Kasalevo, M.B. Bokamba & L. Bongoli 2012. Iyondji Community Bonobo Reserve: a recently established reserve in the Democratic Republic of Congo. *Pan Africa News* 19(2): 16-19.

Sakamaki, T., H. Ryu, K. Toda, N. Tokuyama & T. Furuichi 2018. Increased frequency of intergroup encounters in wild bonobos (Pan paniscus) around the yearly peak in fruit abundance at Wamba. *International Journal of Primatology* 39: 685-704.

Sato, H. 1983. Hunting of the Boyela, slash-and-burn agriculturalists, in the central Zaire forest. *African Study Monographs* 4: 1-54.

Takamura, S. 2015. Reorganizing the distribution systems in post-conflict society: a study on Orientale province, The Democratic Republic of the Congo. *African Study Monographs Supplementary Issue* 51: 77-91.

Tashiro, Y. 1995. Reports from the field: Wamba, Zaire: Economic difficulties in Zaire and the disappearing taboo against hunting bonobos in the Wamba area. *Pan Africa News* 2(2): 8-9.

Tokuyama, N. & T. Furuichi 2016. Do friends help each other? Patterns of female coalition formation in wild bonobos at Wamba. *Animal Behaviour* 119: 27-35.

Tokuyama, N., T. Sakamaki & T. Furuichi 2019. Inter-group aggressive interaction patterns indicate male mate defense and female cooperation across bonobo groups at Wamba, Democratic Republic of the Congo. *American Journal of Physical Anthropology* 170: 535-550.

Wells, M., K. Brandon and L. Hannah 1992. *People and Parks: Linking Protected Area Management with Local Communities.* Washington DC: World Bank.

White, F. J. 1996. *Pan paniscus* 1973 to 1996: Twenty-three years of field research. *Evolutionary Anthropology* 5: 11-17.

伊谷原一 1990.「ピグミーチンパンジー（Pan paniscus）――ルオー保護区」『アフリカ研究』37：65－74頁.

加納隆至 1986.『最後の類人猿――ピグミーチンパンジーの行動と生態』どうぶ

# 参考文献リスト


Berkes, F. 2007. Community-based conservation in a globalized world. *Proceedings of the National Academy of Sciences in the United States of America* 104(39): 15188-15193.

Esman, M.J. & N.T. Uphoff. 1984 *Local Organizations: Intermediaries in Rural Development*. Cornell University Press, Ithaca.

Hashimoto C., Y. Tashiro, E. Hibino, M.N. Mulavwa, K. Yangozene, T. Furuichi, G. Idani & O. Takenaka 2008. Longitudinal structure of a unit-group of bonobos: male philopatry and possible fusion of unit-groups. In: Furuichi T. & J. Thompson (eds.) *The bonobos: Behavior, Ecology, and Conservation*. pp. 107-119. Springer, New York.

Hearn, J. 2007. African NGOs: the new compradors? *Development and Change* 38(6): 1095-1110.

Hughes, R. & F. Flintan 2001. *Integrating conservation and development experience: a review and bibliography of the ICDP literature*. International Institute for Environment and Development, London.

Hulme, D. & M. Murphree 2001. *African Wildlife and Livelihoods: The Promise and Performance of Community Conservation*. James Currey, Oxford.

Ishizuka, S., Y. Kawamoto, T. Sakamaki, N. Tokuyama, K. Toda, H. Okamura, & T. Furuichi 2018. Paternity and kin structure among three neighbouring groups in wild bonobos at Wamba. *Royal Society Open Science* 5(1): 171006.

Kimura, D. 1990. Verbal interaction of the Bongando in central Zaire: With special reference to their addressee-unspecified loud speech. *African Study Monographs* 11(1): 1-26.

Kimura, D. 1992. Daily activities and social association of the Bongando in Central Zaire. *African Study Monographs* 13(1): 1-33.

Kimura, D. 1998. Land use in shifting cultivation: The case of the Bongando (Ngandu) in central Zaire. *African Study Monographs Supplementary Issue* 25: 179-203.

Lewis, D. & N. Kanji 2009. *Non–governmental Organizations and Development*. Routledge, London.

McShane, T.O. & M.P. Wells (eds.) 2004. *Getting Biodiversity Projects to Work:*

〈執筆者紹介〉

**安本 暁**（やすもと さとし）
京都大学アジア・アフリカ地域研究研究科アフリカ地域研究専攻博士課程。
おもな発表は「地域住民性を生み出す言語実践　DR コンゴ・大型類人猿ボノボの長期野外研究拠点の事例」（2019 年、日本アフリカ学会第 56 回大会）。
コンゴの好きなところは「意外にも日本よりも健康に過ごせるところ」、嫌いなところは「ときどき激辛唐辛子に死の淵を垣間見ることがあるところ」。

**坂巻 哲也**（さかまき てつや）
アントワープ動物園基金、NGO “Juristrale”（コンゴ民主共和国）、コンサルタント。博士（理学）。
おもな論文に “Increased frequency of intergroup encounters in wild bonobos (*Pan paniscus*) around the yearly peak in fruit abundance at Wamba.” *International Journal of Primatology* 39: 685-704. 2018.
コンゴの好きなところは「常夏の太陽」、嫌いなところは「容赦ない陽ざし」。

**横塚 彩**（よこつか あや）
京都大学アフリカ地域研究資料センター研究員。
おもな論文に『大型類人猿ボノボに対する住民意識の多義化――コンゴ民主共和国ルオー学術保護区内外の比較から』博士予備論文（2016 年 3 月、京都大学）、「〈フィールドワーク便り〉森の秘密会議――コンゴ民主共和国ワンバ村の調査から」（『アジア・アフリカ地域研究』15 巻 1 号、150-153 頁、2015 年）。
コンゴの好きなところは「ごはんがおいしいところ」、嫌いなところは「うるさいところ」。

**徳山 奈帆子**（とくやま なほこ）
日本学術振興会特別研究員（SPD）／総合研究大学院大学先導科学研究科。博士（理学）。
おもな論文に “Do friends help each other? Patterns of female coalition formation in wild bonobos at Wamba.” *Animal Behaviour* 119: 27-35. 2016.、“Inter-group aggressive interaction patterns indicate male mate defense and female cooperation across bonobo groups at Wamba, Democratic Republic of the Congo.” *American Journal of Physical Anthropology* 170: 535-550, 2019.
コンゴの好きなところは「何事にも楽観的な考え方」、嫌いなところは「論理的な話よりも感情が優先されるところ」。

〈編著者紹介〉

**松浦 直毅**（まつうら なおき）
静岡県立大学国際関係学部助教。博士（理学）。
おもな著書に『現代の〈森の民〉――中部アフリカ、バボンゴ・ピグミーの民族誌』（2012年、昭和堂）、「困難に直面する森の民――アフリカ熱帯林に住む狩猟採集民の人道危機」（湖中真哉・太田至・孫暁剛編『地域研究からみた人道支援――アフリカ遊牧民の現場から問い直す』2018年、昭和堂）。
コンゴの好きなところは「濃い人づきあい」、嫌いなところも「濃い人づきあい」。

**山口 亮太**（やまぐち りょうた）
日本学術振興会特別研究員（RPD）／静岡県立大学国際関係学部。博士（地域研究）。
おもな論文に「誰が電気を止めたのか――カメルーン東南部国境地域における妖術をめぐって」（2017年、電子ジャーナル『SYNODOS』http://synodos.jp/international/19177）、"Food Consumption and Preference of Bongando People in DR-Congo." *African Study Monographs Supplementary Issue* 51: 37–55. 2015.
コンゴの好きなところは「たいていのことは交渉でなんとかなるところ」、嫌いなところは「交渉ごとが必ず長引くところ」。

**高村 伸吾**（たかむら しんご）
ベルギー・ブリュッセル自由大学ポスドク研究員。博士（地域研究）。
おもな論文に "Reorganizing the Distribution System in Post-conflict Society: A Study on Orientale Province, the Democratic Republic of the Congo." *African Study Monographs Supplementary Issue* 51: 77–91. 2015.
コンゴの好きなところは「全力で身内を守る姿勢」、嫌いなところは「以前はあったけれど今はもうない」。

**木村 大治**（きむら だいじ）
京都大学大学院アジア・アフリカ地域研究研究科教授。理学博士。
おもな著書に『共在感覚――アフリカの二つの社会における言語的相互行為から』（2003年、京都大学学術出版会）、編著書に『森棲みの生態誌――アフリカ熱帯林の人・自然・歴史 I』（2010年、京都大学学術出版会）、『森棲みの社会誌――アフリカ熱帯林の人・自然・歴史 II』（2010年、京都大学学術出版会）。
コンゴの好きなところは「何事も冗談のように底が抜けているところ」、嫌いなところは「長くいるとため息をつきたくなるほど疲れるところ」。

コンゴ・森と河をつなぐ
——人類学者と地域住民がめざす開発と保全の両立

2020 年 3 月 13 日　　初版第 1 刷発行

編著者　松 浦 直 毅
山 口 亮 太
高 村 伸 吾
木 村 大 治
発行者　大 江 道 雅
発行所　株式会社明石書店
〒 101-0021 東京都千代田区外神田 6-9-5
電話 03（5818）1171
FAX 03（5818）1174
振替　00100-7-24505
http://www.akashi.co.jp/
組版／装丁　明石書店デザイン室
印刷／製本　モリモト印刷株式会社


（定価はカバーに表示してあります）　ISBN978-4-7503-4981-7